JN089364

新装版

# 浄土和讃講話

川瀬和敬

法藏館

目次

本書は、平成六（一九九四）年刊行の『三帖和讃講話―浄土和讃―』第一刷を改題し、オンデマンド印刷で再刊したものである。

# 凡　例

一、和讃は三帖和讃と呼ばれるように三帖一連のものとなっているが、浄土高僧和讃は「聖人の讃歌に和す」と副題して、昭和四十七年文明堂より出ているので、今回は正像末法和讃とともに「和讃の風光と響き」と副題して出版し、三帖の完結を見ることになったのである。

一、この浄土和讃は専修寺蔵国宝本を底本として用い、顕智書写本と文明開板本とを参照した。

一、国宝本と文明本とのちがいは、必要なところだけ左横に括孤をつけて追記した。讃阿弥陀仏偈和讃の第五首以下の「に帰命せよ」と「を帰命せよ」との相違は省略した。

一、和讃にほどこされた左訓を重要視した。この意味で読むべしとの指示だからである。仮名ばかりであるので適当に漢字をあてて記述し、新仮名づかいに改めた。

一、和讃も左訓も片仮名であるが平仮名に改めた。

一、「南无阿弥陀仏」とか「无导光」の「无」の字体については、当用の「無」をすすめられて迷ったが、聖人の筆跡のまま「无」となった。

一、引用の西方指南抄は原文のままとした。

一、最後になったが、お導きをいただいた諸先生に深謝するところである。

常磐井鸞猷　国宝本三帖和讃註解
生桑完明　親鸞聖人全集　和讃篇
高木昭良　三帖和讃の意訳と解説

金子大榮　三経和讃講話

伊藤博之　三帖和讃注釈（新潮古典集成）

一、本稿の出版について、法藏館社長西村明氏のおすすめ、堤玄立兄、平松令三兄のお力添え、磐城龍英兄の校正お手助けを仰いだのでここに御礼を申したい。

# はじめに

先ず玄奘三蔵訳『称讃浄土経』の「たとひ百千倶胝那由多劫を経て、それ無量百千倶胝那由多の舌を以って、一々の舌の上に無量の声を出して、其の功徳を讃めんに亦尽くる能はじと」を掲げます。この一文は「諸経意和讃」の第三首としてそのまま讃歌となるのですが、讃める意を重んじたものです。なおこの経は浄土三部経中の羅什訳『仏説阿弥陀経』の新訳であることが興趣深く、具名は『称讃浄土仏摂受経』であり、この称讃が大きく光って十方諸仏、諸仏称讃と呼応します。

次は「讃阿弥陀仏偈に曰く」「曇鸞和尚造りたまふ」と出て、「南无阿弥陀仏　釈して无量寿傍経と名づく。賛め奉りて亦安養と曰ふ」と続くのですが、これは『安楽集』下の「是の故に曇鸞法師の正意、西に帰するが故に、大経に傍えて奉讃して云う、安楽声聞菩薩衆」を通しての引用と思います。安養と安楽は通じ合い、无量寿経によりそうて密着し、そこから開かれた悦びを讃めたてまつります。讃めることは南无阿弥陀仏することであり、南无阿弥陀仏することによって神開体悦（『讃阿弥陀仏偈』）し、詩の魂が開かれて讃歌となるのです。このようにして和讃は『讃阿弥陀仏偈』の和国化より始まり、多く『安楽集』が基調となっています。

このように『弥陀仏偈』の書き出しのままを掲げ、次に第二偈を置いて和讃との対照を示そうとされたようです。

成仏已来歴十劫　寿命方将无有量
法身光輪徧法界　照世盲冥故頂礼

成仏よりこのかた十劫を歴たまえり
寿命方将（まさに）量り有ることなし
法身の光輪法界に徧じて
世の盲冥を照らしたもう故に頂礼したてまつる

ただこの一偈だけで、次は偈中の弥陀の尊号が並びます。

无量光。真実明。无辺光。平等覚。无㝵光。難思議。无対光。畢竟依。光炎王。大応供。清浄光。歓喜光。大安慰。智慧光。不断光。難思光。无称光。超日月光。无等等。広大会。大心海。无上尊。平等力。大心力。无称仏。婆伽婆。講堂。清浄大摂受。不可思議尊。道場樹。真无量。清浄楽。本願功徳聚。清浄勲。功徳蔵。无極尊。南无不可思議光。

已上阿弥陀如来尊号已上略抄之

これに続いて『十住毗婆沙論』に曰くとして、自在人に我れ礼す、清浄人に帰命す、无量徳を称讃す、との弥陀の三別号を「易行品」より掲げます。我礼が帰命であり、そのまま称讃であることを意味します。

# 讃阿弥陀仏偈和讃

この和讃の始まりに鸞師の偈と同様に「南无阿弥陀仏」と記して帰命の意を表わします。南无阿弥陀仏を離れて讃嘆はありえないということです。

「愚禿親鸞作」と署名されているのは、ここだけとは限りませんが最初ですから留意したいと思います。愚禿は機の深信、親鸞は法の深信として感得せられ、まさしく廻向の信心の名のりです。名が体を表わすこと、かりそめではありません。唯除の痛みを内に包んでの一心帰命の輝きです。唯一人の個別の名であることはもとよりですが、真の報土を願うて念仏する人が悉くこの名の中に包含されていることも不思議です。

愚禿は「ぐとく」と読み習わされているが、御自筆による発音記号に従うならば「ぐどく」と読むべきです。ところが今はぐどくという方が逆に変に聞こえるほど音声の習わしは奇異な事実を形づくるもののようです。

*1* 弥陀成仏のこのかたは
いまに十劫をへたまへり

法身の光輪きわもなく
世(せ)の盲冥(もうみょう)(は)をてらすなり

「へたまふ」は経歴を語ります。歴史をもって歩んでいるということです。阿弥陀仏が本来の自己たる仏御自身におなりになってから、十劫という永いあいだ、休むことなく今日に至っております。阿弥陀仏をほめたたえるわれわれの出発点がここにあります。雄大な思惟です。ただ大きいことをいっているのではなく、人間を感動せしめる力が感じられているのです。

みのりを感じ、みのりによって動かされ、みのりをみずからの身とする仏の御身の、その全体が光であり、光ははかりなく転輪し、それが限りなく輪をひろげ、娑婆世間の無明の闇を照らしたもうのであります。まなこくらむものに、それをあわれみ知らしめようとの慈悲の光であります。

## 2

智慧の光明はかりなし
有量の諸相ことごとく
光暁(きょう)かふらぬものはなし
真実明に帰命せよ

左訓が詳しくほどこされています。「智慧」には「智はあれはあれ、これはこれと分別しておもいはからうによりて、思惟と名づく。慧はこのおもいの定まりて、ともかくもはたらかぬによりて、不動に名づく。不動三昧なり」と。左訓の音律に誘われる一つの名所です。精神は思惟を本質とします。分別の力尽きて無分別に転じ、その無分別に立って、真の分別が展開するというすじみちです。無分別の分別でない分別は、無限の小路へ誘惑されて動乱します。不動は容易ならざる力です。

『涅槃経』に「光明は、名づけて智慧と為す」とありますが、これが聖人の宗教的思惟の上に、大きな力を与えております。『唯信鈔文意』に「阿弥陀仏は光明なり、光明は智慧の形なりと知るべし」とありまして、今の「智慧の光明」と相応じます。仏智に照らされる以前から知っていると妄分別している光明らしきものと、智慧が光明となり、その光明が智慧にかえらしめる智慧の光明とのちがいを、出発点からはっきりしなければなりません。やがて「智慧の念仏」「信心の智慧」という表現が、和讃にあらわれて、智慧ということを見失うならば、念仏も信心も空疎なものになってしまうほど、本質的なものです。

世間にあるありとあらゆるものはみな、この智慧の光明のお照らしを蒙らないものは一つもないのです。この「有量の諸相」には「有量は世間にあることはみな量りあるによりて有量という。仏法はきわほとりなきによりて無量というなり」と左訓されて、世間のことは限定があるが、仏法のはたらきには限定がない、との仰せです。有限にして形のあるものすべてが、限りのない大きい光に包まれているということは、大変な発見なのです。

「真実明」とは、阿弥陀仏の別号で、その内実であり讃嘆であり、この三字そのままが光るのであろうが、真実にしてかつ光明、あるいは真実の光明と意味づけることができます。「真実」には「真というはいつわりへつらわぬを真という。実というは必ずもののみとなるをいうなり」との特筆すべき左訓がみえます。仏語にはいつわりがない、これがすべての出発点です。いつわりのないことを立証するのは、へつらいがないということです。いつわりの中にどっぷりつかっていますと、へつらいに恐れることがなくなります。へつらいは巧言です。巧言は耳によろしきものです。いつわりのない真は、へつらいの拒否ですから、分別の俗事が驚かされます。もののみとなるとは、衆生の実となることで、不実の人を実ならしめるはたらきです。他の不実に対して自己の真をほこるのでなく、不実なものの中へ、自己の真を投げ入れて、実にするまでやまないからこそ、真実の如来であるわけです。

この如来に心のよりどころを求めよ、というのが「帰命せよ」です。ここを外にしてよるべはどこにもないというのです。これは聖人の内観の声です。帰命している人が、自分に呼びかける言葉です。阿弥陀に帰命せよですから、南无阿弥陀仏です。帰命尽十方無碍光如来です。招喚の勅命のままです。せよは自から他へではなく、「せよ」の声を聞く先頭に自己が立っているのです。それだから讃歌になるのです。

*3*

解脱(げだつ)の光輪きはもなし
光触(そく)かふるものはみな

有無をはなるとのべたまふ
平等覚に帰命せよ

解脱は、我執からの脱却として、仏教を代表するような用語なのであるが、真宗では涅槃ほどに重くは用いられません。自分一人のさとりに小さくなるという方向から離れたいためでしょうか。この解脱も左訓によって新しい光を放ちます。「解脱というは、さとりを開き仏になるをいう。われらが悪業煩悩を、阿弥陀のおん光にて砕くということろなり」と。光の輪が無限にひろがって、煩悩を砕くはたらきを指しています。煩悩はわれらにとりましては体質的な具足性ですが、仏の眼からは砕かねばならぬ悪業なのです。聖人はしばしば煩悩悪業とも熟字されます。弥陀の光にあうとき、その煩悩のみぐるしさが照らし出されてゆくということです。

光触かぶる、触光柔軟という言葉もありますように、触とかぶるとは一つのことで、光をこうむる、光を受けるということです。光の輪の中におかれつつ、光に触れることは容易でないわけです。光に触れた人は、有無の邪見を離れるとは、大きな徳益です。光にまだ触れていないわれらのまよいの深さは、有の見、無の見を離れられないという一つに規定されます。形をもって存在するものへのあくなき執着が有の見です。だからこの世界を終って、更にもう一つの世界があってほしいと願うのは、凡情さもありなんと許されてもいるが、有という邪見だと裁断されます。

また有の裏返しである無の見は、粗雑にして不誠実な放言であって、真空妙有ということを知らない無のとらわれです。あくなき欲心の満足をよるべとして生きてきた人が、いささか年老がつもると、この世には何もなかった、夢であった、幻であった、とさも解脱したかのような口舌を弄するのを聞くが、それはゆがめられた欲心のうそぶきというもので、これこそ無の執見に過ぎないのです。

有執無執は人間存在に複雑にからみあいます。今現に自己がそこにあり、自己の所有にかかわるものは、そこから逃れそれから離れようとし、自己の上に無いものに対して、それを追っかけ求め得ようと苦しみもがきます。有ったときには意味の見えなかったものが、無くなってはじめてその喪失を悲しみます。また有ることが次の有ることを生み出していくのは愉悦でもあるが、それが無に帰した場合は耐えきれない苦悩です。無くなっても有執が苦しめるのです。

われらが生死について暗いのも、まさしく有無の邪見が生死を見誤らしめているのです。生を永遠の有と見ずにおられない執見が、生を見ることを妨げています。死は永遠の無と思わずにおれない無の執見が、底なしの深淵に落していきます。死にはおのれの目を閉じるほかその対処の方法がありません。目を覆えば覆うほど、死の足音は迫ってきます。自力をもってこの生死への執見をはらうことは、ついに不可能です。有をはらおうとすれば無の執となり、無をはらおうとすれば有の執となるばかりです。

これによってただ平等覚に帰命するばかりだと詠われます。平等覚には「阿弥陀は法身にてまします間、平等覚というなり」との左訓が見えます。阿弥陀の別号であることは、「行文類」のはじめに『大無量寿経』の異訳として『無量清浄平等覚経』の名が見えることによってもよく知られます。この平等覚は正覚そのものです。「等」一字だけでも平等の意味です。かの「正信偈」の「等覚を成じ大涅槃を証するは」の等覚が、正覚に等しい菩薩の位の意味と違って仏の位です。いずれの境遇の人も正覚においては差別はなく平等であることは、浄土であるがためです。浄土はひとり往く場所ではありません。多くの人が他人でなくおれる場所です。平等覚は本当の救いを意味しています。

*4*

光雲无㝵如虚空（にょこく）
　一切の有㝵（うげ）にさわりなし
光沢（たく）かふらぬものぞなき
　難思議（を）に帰命せよ

雲は大空の中を、あるいは悠然と流れ、あるいは急ぎ走って、あらわれたり消えたり、障えるものはありません。光もまさに雲のようです。どれほどのじゃまだてがありましても、光雲にとりましては、それが障りとなりません。すべての人がこのように光の恵みを受けます。

第三行の「光沢」のところには「光に当るゆえに智慧の出で来るなり」との左訓が見えて、思惟に誘われます。もしこの左訓がなければ、この含みは読めません。光明は智慧のかたちですから、その光を蒙ったものには、智慧が恵まれるということです。なるほど「沢」は、雲に雨のうるおいがあるように、恩沢とか徳沢とかいわれるように、うるおいであり、めぐみです。沢はまた色沢といわれるように、つやです。智慧の无碍自在なることがつやのある説法と呼ばれます。

難思議は、思いはるかに心の及ばないことで、阿弥陀仏を難思議と呼び、超越した在り方をほめたたえたものです。はからいを超えて、しかもそれはたしかに在るといえるのです。はからいによって在るとしたものは、はからいの動きによって、その在るとしたものが、消えてゆくからです。難思議の重さがわかります。難思議にまします阿弥陀仏に帰命するばかりです。

さて「に帰命せよ」についてですが、この第四首から「文明本」には「を帰命せよ」となっています。聖語として声に発して、心奥に響かせている用語は、代え難い力をひそめておりますから、「に」も「を」もどちらも譲らないものがあります。どうしてこうなっているのか、その径路はわかりません。南无阿弥陀仏は、阿弥陀仏に南无すると読み、帰命尽十方无导光如来は、尽十方无导光如来に帰命すると読みますから、「に」が自然であろうと考えますが、「文明本」には「を」となっているのですから、いつの日にか何らかの解明を見たいと欲します。「弥陀をたのむ」「弥陀をたのめ」のときは「を」ですから、思惟の余地はいくらでも残されております。

この「難思議」の呼称は、三往生の中の「難思議往生」に通い合いますから、殊に大切に心をとどめたいと考えます。「難思光」「難思の弘誓」「難遇」「難信金剛信楽」と連想して、「難」の占める重い位置というものが強く迫って来ます。

## 5　清浄光明ならびなし

遇斯光のゆへなれば
一切の業繋ものぞこりぬ
畢竟依に帰命せよ

第一行には「澄み、きよし。貪欲の罪を消さむ料に清浄光明というなり」との左訓をみます。この「料」は、いとも了解し易いような形で使用されていますが、適確につかむことができません。用いるもの、材料、資材、あかし、象徴など思いめぐらしてみるわけです。貪欲の罪が消されるから、清浄光明と名づけるのだというのです。その清らかさは他にくらべるものもありません。この光に出遇いますと、業につながったすべての罪も除去されてしまいます。

畢竟依には「おわり、おわる、ついに、きわむ。法身のさとり残るところなく極まりたまいたりということろなり」と左訓されます。窮極のさとりを極めた阿弥陀仏というのです。したがって衆生が最後までよりかかってゆける仏であるわけです。「皇太子聖徳奉讃」第七十三首の「四生のついのよりどころ」を想起します。帰命について、前出のところには左訓がなかったのですが、ここに初めて「帰」には「よる、したがう」、「命」には「めしに」との聖人の極意が出ます。本願招喚の勅命と聞いて、したがえよというのです。したがうことと勅命が別ではありません。よること、したがうことが、勅命の中にあります。ついのよりどころがあることが、すでに召されているのです。たすける力をたのむのでなしに、たのんだことがたすかっているのです。帰命しているところから、帰命せよが出てきます。念仏しているところに、我を念ぜよとの勅命があるわけです。真に生かす力がなければ、勅命とはいえません。勅命によって殺人鬼となれなどの俗流と混同してはなりません。

6　仏光照耀最第一
　光炎王となづけたり
　三塗の黒闇ひらくなり
　大応供に帰命せよ

弥陀仏の光の照らし明るくかがやかしいことは最上に勝れているのです。それで光のもえて火花の散るかがやかしい王のような仏と名づけます。この光は地獄・餓鬼・畜生の三悪道の黒々とした深い闇を照らし破って、道を開きます。

ここにどうして応供の内実がかかわるのか、それは考えの外です。応供は供養を受けるのに応答のできるお方、われらが供養するのにふさわしい仏の意味です。供養はわかりにくい言葉ですが、「高僧和讃龍樹讃」の「恭敬」の左訓に「小乗―供養、大乗―恭敬」とありますので、つつしみうやまうと解しておきます。応供は仏の十号の第二名ですが、ここでは勝れたという「大」がついて阿弥陀仏を指すこともとよりです。

7　道光明朗超絶せり

清浄光仏となづけたり
ひとたび光照かふるもの
業垢をのぞき解脱をう

「道光明朗超絶というは阿弥陀如来なり」との左訓を見て、なるほどはっきりしているとも感じ、また別には、どうして第二行の「清浄光仏」に続くのか、直接する指示のえられないことを、いぶかしく思います。道光は仏光でしょう。明るく朗らかにして一点の塵なく超えすぐれているから、清浄光と名づけほめられるゆえんです。

ひとたびこの光に照らされたものは、悪業煩悩を除かれ解脱をえるのです。解脱は「仏果に至り仏に成る」と左訓されています。煩悩については煩悩悪業とも表わして、仏の作業に背くものとしてきびしく責められます。除かれねばおさまりのつかぬものです。

8

慈光はるかにかふらしめ
ひかりのいたるところには
法喜をうとぞのべたまふ
大安慰に帰命せよ

第一行の左訓は「あわれむ、ひかり。慈は父の慈悲にたとうるなり」です。慈悲を父母に分かって感受するのは、文明開板本「皇太子聖徳奉讃」第六首「大慈救世聖徳皇　父のごとくおはし

ます　大悲救世観世音　母のごとくおはします」とうたわれているのと照応することによっても、つねのおもいを知ることができます。

この一首は、きわだってやわらかい情感の溢れたやすらぎを覚えます。われをあわれむ慈悲の光が、はるかにはるかに離れた阿弥陀の国から、われのこの土に届けられます。「かむらしめ」られるのは、ここを去らないままです。「ひかりのいたるところには」と誦みあげるにしたがって光が至ります。この身は闡提なれどもとわるびれるばかりです。一隅を照らすのではなく、一隅に在って照らされるわが身ということです。浄土ははるかであってここではありません。しかも浄土の光をかむらしめられて、この土が本当に生きてきます。

法喜には「歓喜光仏を法喜という。これは貪欲・瞋恚・愚痴の闇を消さむ料なり」と左訓されます。法喜は歓喜であるわけです。煩悩によるよろこびらしいものしか知らないで、そこに欠け目を感じていたものにとって、はじめて仏法を聞いたよろこびが生まれたのです。清浄・歓喜・智慧の三光に、貪欲・瞋恚・愚痴の三毒が対向するのですから、ここの左訓には「瞋恚」一つでよろしいはずなのに、三つの闇が並記されますのは、歓喜信心、歓喜そのまま信心であるように、すべてが歓喜に帰着することを示されたものです。「闇を消さむ料」は前出第五首と筆法を同じうしますが、第九首の「智慧光仏」のところには出されません。

大安慰には「大安慰は弥陀の御名なり。一切衆生のよろずの歎き、憂え、悪きことを皆失うて、安く安からしむ」と左訓されます。衆生が生きていることは、歎きや憂えや悪きことを生みだすほかないのですから、それを「失うて」というのは、なくするというより弥陀の大いなる心に吸いこんで、安らかな落着きを与えたもうということです。上の「やすく」は、やすやすとの意に解すれば「易く」となります。

9
無明の闇を破するゆへ
智慧光仏となづけたり
一切諸仏三乗衆
ともに歎誉したまへり

智慧光仏には「一切の諸仏の智慧を集めたまえるゆえに智慧光と申す。一切諸仏の仏になりたまうことは、この阿弥陀の智慧にてなりたまうなり」と左訓されます。第一行とのかかわりは「愚痴の闇を消さむ料なり」との前出の左訓に当っております。愚痴は無明の闇です。無明は「明」になることのできた人が、明の立場に立って明でない人をあわれんで、その人を射当てているのです。無明煩悩といって、すべての煩悩は無明の種々相でもありますし、また愚痴そのものにも限定されます。

『唯信鈔文意』にも「無碍光仏のおんかたちは智慧の光にてましますゆえに、この如来の智願海にすすめいれたまうなり。一切諸仏の智慧をあつめたまえるおんかたちなり。光明は智慧なりと知るべし」と説かれますように、光明も名号も智慧を離れてありません。弥陀の智慧に触れて諸仏が諸仏になります。

だから一切の諸仏は、仏に成ろうとして励んでいる声聞や縁覚や菩薩の数多い三乗の方々と一緒になって、智慧光仏にまします阿弥陀をほめたてまつるのであります。

10 光明てらしてたえ(へ)ざれば
　不断光仏となづけたり
　聞(もん)光力のゆへなれば
　心不断にて往生す

弥陀の光明は念仏の衆生を照らし続けて絶える時がないから、断絶しない光の仏と名づけられます。

聞光力には「聞というは聞くという。聞くというはこの法を聞きて信じて、常にたえぬこころなり」と左訓されます。「光を聞く」というのがおもしろいことですが、それには左訓も触れてありません。しかも「法を聞く」とあるところが貴重です。「信じて常に絶えぬ」は、次の心不断に係っていくようです。法を聞くのは、法のゆあみをすることです。光をこうむることです。誓いの中に入ることです。これを信じるといいます。光を聞くことを異様に感じるような、言葉へのとらわれ方をする必要はありません。音を観ると書く観音菩薩の名を自然に称するように、光も音も無碍自在である詩的構想をこころよく感じます。

心不断には「菩提心の絶えぬによりて不断という」と左訓されます。菩提心は涅槃へ帰入せしめる大きなはたらきです。この心を起こさなければ仏道には入れません。起こせと言われなくても起こさずにおれないものですが、それがかすかにかぼそいもので、菩提心になりきることができず、一向に成就しそうもないことにいらだちます。そのところへ、菩提心を発起できなくとも、仏道に入る別の道のあることを知らされるのです。聞光力による信心の道です。信心が菩提心のはたらきをもっているのです。自らの力ではっきりすることはできないし、しかも菩提心にめざめたものは、それの成就なくしては腐ります。信心が絶えることないから、菩提心も絶えないことになります。

菩提心不断にして、菩提心の開いた世界に入ります。われらがどこかへ「往く」とか「生まれる」とか前からもっている分別知で意味づけたり解釈しても「往生」の義ははっきりするものでありません。分別知を超絶して与えられたものです。

「往生す」と言い切られておりますから、未来も未来のままで現在に来ております。あるいは時が超えられているということです。「往生するにちがいない」とか「往生するであろう」ということになれば今ここに「往生」ということがありません。そうでありつつこの「往生す」を心豊かに諷誦するばかりで、今ここにある私が往生しているなど、わが身知らずのことは思いようもありません。

11

仏光惻量なきゆへに
難思光仏となづけたり
諸仏は往生嘆じつつ
弥陀の功徳を称せしむ

この「惻」は呉音では「しき」ではあるが、「惻隠の心仁の端なり」と用いられるように、いたむの意味であり、『讃阿弥陀仏偈』にも「その光、仏を除いては能く測ることなけん」とあり、「文明本」には「測」とあるから、こだわる必要はなさそうです。更に左訓にも「しきははからいのきわなきをいう」とありますから、測・量ともにはかり、数を知ることです。弥陀の光明は、仏以外のものの心が及びようがないから、はかり知ることができず、よって難思光仏と名づけられます。

十方の諸仏は弥陀の光のはたらきにおさめとられた凡夫が、浄土往生をとげる実景を讃嘆して、ことに弥陀にそなわったおはたらきをくちぐちにほめたたえられます。ここで「称」について「はかり、よむ、となう」と左訓されます。この三つの前に「しよう」とあるのは、左訓としては解けないのです。左訓についての疑点の一つです。「称」を解こうとするならば、更に「ほめる」や「かなう」も入れてほしかったと思います。

はかるでなくはかりであることも一つ問われます。はかるというのは、内容をよくわきまえて実の名を知ることです。よむは読む、誦む、詠うでしょうか。読みが深いということもあるのでしょうが、うたいあげてほめるの意とみます。となうはほめる心を口にあらわす意です、これらはみな称名念仏にかかわってきます。

12 神光の離相をとかざれば
　無称光仏となづけたり
　因光成仏のひかりおば
　諸仏の嘆ずるところなり

第一行は読みにくいのですが、神光が相を離れていることは説くこともできないので、ということで、威神力をそなえた弥陀の光明は、われわれのとらえるようなかたちをもっていないから、そのすがたを言葉や文字で表現してみようがないのです。それで言い表わしほめたたえてみようのない无称光仏と名づけられているのです。

弥陀仏はもと光明無量の誓願、無限量の光明をもって諸仏の国ぐにを照らしたいとの願いを因として仏と成り願いがとげられたのですから、諸仏が声をそろえてかがやく光をほめたたえられるゆえんがあるわけです。光を因としてといいますけれども、光を仏と名づけるのであって、光を外にして仏のありようはありません。

13 光明月日に勝過して

超日月光となづけたり
釈迦嘆じてなをつきず
无等等に帰命せよ

「光明照らし耀きて日月に過ぎたり」とあるのを、音韻の上から月日とされたのです。弥陀の光明は日光月光のようにさまざまの限定があって曇ったり陰があったりするようなことがなく、いつでもどこでも隅ずみまでも照らしてやまないから、超日月光と名づけて日や月よりもすぐれて超えていることを 表わします。弥陀の十二光の中の最後の名となっております。かってこの「超日月光」の名を標題として、大新聞の宗教欄に念仏生活の勝過性を書き続けられた真宗人がありましたが、不慮の災禍によりて命終の近づきつつあるとき、いよいよ機の深信を深められたとの告白を漏れ聞いて、超日月光のゆあみを感じます。

釈迦如来もこの弥陀の光明の殊妙なることを夜を日についで讃嘆しようとしても、それでもほめ尽くすことができない、といわれます。功徳が広大でどこにも等しく等しいもののない弥陀仏に帰命するばかりです。

14

弥陀初会の聖衆は
算数のおよぶことぞなき
浄土をねがはむひとはみな

広大会（え）に帰命せよ

弥陀仏がほとけにおなりになられたその最初の説法の座に集った御弟子たち声聞や菩薩の数かずは、神通巧妙でどうしてこれほどの多数であるのか、数えきることができないのです。左訓に「集まりたもうおむし」とありますが、更に続いて「みでし」とありますから、御師ではなく御弟子でしょうか。

　浄土に生まれたいと願う人びとは、広びろとした大きな集りである浄土のあるじであるところの弥陀に帰命せずにおれません。この「広大会」の名を寺報に掲げ、世界を愛し人を愛し広く大きく呼びかけて、もしこの読みものに目を触れることがなければ、本願だとか信心だとかにめざめる時をもつはずのなかった人びとをも、包みこむことのできた真宗人がありましたが、これまさしくこの人は「広大会に帰命せよ」を生きた人といえます。広大会は弥陀の別号ではありますが、広大なる会座としてすでに説法があり、そこにひたすら耳を傾ける聴衆が群れあふれる光景が、展開されるのであります。

　広大会の左訓に「十方の衆生みな極楽にて仏になることを法身というなり」とありますが、ここに当るとは思えず、第三行の願生浄土の解き明かしでもありましょうか。

15　安楽无量の大菩薩は
　一生補処（いっしょうふしょ）にいたるなり

普賢の徳に帰してこそ
穢国にかならず化するなれ

安楽仏国に往生したはかり知れないすぐれた菩薩たちは、まだ仏ではないが仏に等しく、次には仏となるところの最高の位に到達しています。

浄土の住人はそのまま浄土にとどまるのでなく、慈悲を主軸とする普賢菩薩の徳にしたがって、それにあやかり、それを頂いて、よどれてやまないこの国に再び形を表わして、すべての人びとを化益してやみません。

普賢の徳については「われら衆生極楽にまいりなば大慈大悲を起こして十方に至りて衆生を利益するなり。仏の至極の慈悲を普賢と申すなり」と左訓されますように、凡愚なる者に仏の知恵をめぐみ、みなそろうてかしこくよき人たらしめようとの切なるはたらきであります。

『唯信鈔文意』には「このさとりをうれば、すなわち大慈大悲きわまりて生死海にかえりいりて普賢の徳に帰せしむともうす」とあるところと照らし合わせて、よい了解へと導かれます。和讃として詠いあげることによって、この「普賢の徳」が日常生活の中に、たしかな地歩を固めていきます。

16 十方衆生のためにとて
如来の法蔵あつめてぞ

本願弘誓（ぐぜい）に帰せしむる
　大心海に帰命せよ

偈には「仏の法蔵を集めて衆生の為にす、ゆえに我大心海に頂礼したてまつる」とあるのですが、この誓く前に「其の本願大弘誓、普く諸の衆生を度脱す」が組み合わされたようです。機械的な統合でないことはもとよりで、思想の流れが把握されているのです。

本願弘誓は本誓とも弘願とも誓願とも色いろに言い表わされます。仏が仏になることができたのは法によるところであり、その法は一つでありながら法蔵といわれるほどに多く豊かでありますが、その雲のように湧き起こる法蔵を、本願という一点に集約帰一せしめられた、それはあらゆる衆生を救わんがためである、というのです。

ただこの本願に帰入するばかりですから、海のように心の広く大きい弥陀仏に、大心海と念じて帰命しなさいよ、というのです。海は煩悩の濁った川水をいとわずに浄化してやまないその具体性をたとえとして用いられたにちがいないのですが、そのはたらきを内包して、真宗の選ばれた用語として、本願海・光明海のように大きな意味を担っております。しかもこの海は、ここにはよろずどろどろしたものを能く転化する明るい面を表わすのですが、逆にどす黒い無明に沈ませていく生死の苦海の面も同時に語っていることは、甚深の思案を迫られます。機の深信、法の深信とが二種一具といわれますが、この海がこの点をよく象徴していると思います。

17　観音勢至もろともに
　慈光世界を照曜し
　有縁を度してしばらくも
　休息あることなかりけり

偈には「又観世音大勢至は、諸もろの聚衆において最第一なり。慈光もて大千界を照曜し、仏の左右に侍って神儀を顕す」とあるのを、二行に詠われたものです。「浄土高僧和讃」に「源空勢志と示現し」と、ここと同様に勢至を勢志とお書きになります。

観音と勢至は弥陀の慈悲と智慧との象徴です。弥陀と離れずに三尊として仰がれます。だから「もろともに」は、二菩薩が手をつないでということではありますが、弥陀ともろともにの意もあります。慈光はあわれみの光、慈悲ある光明です。慈悲の光明は、日月の光のかがやくように十方世界を明るく照らし、しばらくの休息もなしに縁を尽くして救いのはたらきをやめないのです。度されたものがみな有縁者です。

有縁者といえば、無縁者をかりにこしらえて、「縁なき衆生は度し難し」とどこかに根拠があるかのように語り継がれてはいるが、無縁者をつき離すのは慈光の中の出来事ではないわけです。聖徳太子の『維摩経義疏』のはじめには「国家の事業を煩と為す。但し大悲息むこと無し。志は益物に存す」とありまして、これは政治は煩労の多いうるさい仕事だが、思うてみれば如来の大悲は、もうあきがきた、いやになったといって休息されることなく、その志願はいかにして衆生を利益するかにかかっている、というのです。太子は如来の大悲無息に感動して、政治の難路へと立ち向かっていかれます。この和讃はそのような響きをたたえております。「なかりけり」と誦むとき、無縁者はどこにもありようがありません。いずれも有縁者たらしめずにはおかない、無限開放のところに大悲の存念があります。

*18*

安楽浄土にいたるひと
　五濁悪世にかへりては
釈迦牟尼仏のごとくにて
　利益衆生はきわもなし

弥陀仏の浄土に至り生まれた人は、安楽を享受することになるが、その安楽を失わずして、直ちに再び住みづらい五濁悪世に帰り来たって、衆生に本当の利益を与えて、はてなく尽くすのは、釈迦牟尼仏のおはたらきと、まさしく同じようであります。

『阿弥陀経』に「釈迦牟尼仏能く甚難希有(けう)の事を為し、能く娑婆国土五濁悪世、劫濁・見濁・煩悩濁・衆生濁・命濁の中に於いて、阿耨多羅三藐三菩提(あのくたらさんみゃくさんぼだい)を得て、諸の衆生の為に、是の一切世間難信の法を説く」とあるところです。悪い世が先にあるのでなく、濁りの多い人間存在が、世を悪くして悪世たらしめているというのです。

劫濁。はて知らぬ時の流れに人間が参加するとき、末の世と思わねばならぬ濁りを、もちきたします。進歩の幻影を打ち破る、鋭い観察です。誰か一人あって「能く甚難希有の事をなさ」なければ、恐怖が充満します。劫というのは、量り難い時の流れの長さですから、劫濁というのは、発想の深淵におののく希有な表現です。

見濁。人への、世への、自然への見方の濁りまがってよこしまなること。正見に対する邪見。真実の理それ自身が自らを開示して悟入せしめようとする正法に立って、ものを見ようとするのでなく、妄情、我利に立って、ものを見ようとするのが邪見です。一たび邪見に立てば、その醜怪さに気づくことなくおごりたかぶり、残忍さを現わします。如来の大悲無息を無視した政治は大声で詭弁をあやつるばかりで残忍です。しかし正見は消滅しません。正見は声は小さいけれども、静かに邪見者にその恥ずかしさを知らせなければやみません。見濁であることに悲痛せしめるのは、正見が照らしているからです。

煩悩濁。涅槃という鏡に目を覆うならば、煩悩は人の生きることそのものです。誰に遠慮も要りません。煩悩と煩悩とのつばぜりあいです。一たびこの煩悩は仏道の大敵であると聞いたとき、煩悩はそのあさましさに耐えられないものとして映ってきます。煩悩の醜怪はよく知りつつも、自身におこったときはこれに愛著し、どこまでも弁護の手をさしのべ、他者の煩悩は劣悪なものとして憎んでやまない、という葛藤に苦しめられます。煩悩は熾盛に燃えあがろうとするのがその本質です。無明によっておこるのですから、無明がある限りやむことはありません。煩悩を資財として人は生きるのですから、この毒を転化せしめる大いなるはたらきこそ、「利益衆生」となるわけです。

衆生濁。衆生は衆多の生死あるもの、生死は生に迷い死に迷うて、ついに生と死とが分離して、生きる意味も死にいたる意味もはっきりしないまま生死に沈没していくのですから、その迷える妄見によって世を汚し濁してやまぬということになるのでしょうか。衆生とは、仏よりみて「汝、生死の人よ」とあわれみ痛みをこめてのことばですから、無生無滅が願われています。よく口にされる「生きとし生けるもの」は出所がちがうようです。

命濁。生命が濁っているとは大変な言葉です。時代が下降するに従って、いのちが短くなると説かれていることについては、うなずけるまで思惟をこらしてみます。仏の寿命は長遠にましますのは、人寿の汚れを哀愍してやまないからによる、と思いはかります。末法濁乱の根源を命濁によると洞察した力はすごいものです。

19

神力(じんりき)自在なることは
惻量(しきりょう)すべきことぞなき（測）
不思議の徳をあつめたり
无上尊に帰命せよ

第二行の「惻」は、第十一首の「惻」と同じく、何の労作もなく「測」と改めるべきです。

安楽浄土に至った人びとは、威神力をそなえて、自在にましますことは、はかり尽くすことはできません。法蔵菩薩の師仏を世自在王仏と名づけるように、自在は仏名であり仏の内実です。自由とは大きなちがいをもつので、自由は我執煩悩の心の欲するまま動くかにみえて、逆に自縄自縛して不自由に陥れます。自在は何かにしばられることから解放され、自分のはたらきが相手に受け止められないことをうらみとしないような在り方です。自在は自体満足です。いつでもどこでも誰に対しても、自分をそのままに置いておける、というのは容易ならぬことです。

浄土往生人が、はかり知ることのできないようなさまざまの功徳を集めているのは、弥陀仏のお陰によるところですから、この上もなくすぐれた尊貴性をお持ちの弥陀仏に帰命せずにはおれません。

20 安楽声聞菩薩衆
人天（にんでん）智慧ほがらかに
身相荘厳殊異（しゅい）なし
他方に順じて名をつらぬ

偈には「安楽の声聞菩薩衆、人・天智慧ことごとく洞達せり、身相荘厳は殊異なし、但他方に順ずるが故に名をつらぬ」とあるところ、全くそのままに詠われています。「証文類」のはじめに『安楽集』が出ますが、そこに「是の故に曇鸞法師の正意は西に帰するが故に、大経に傍（そ）えて奉讃して曰く」として、ここにこの偈文が続くのですが、これは貴重だとしてこの「讃阿弥陀仏偈和讃」の頭首にわざわざ別記し、「无量寿傍(ぼう)経」という名まで生まれておるところです。

安楽浄土の声聞がたや菩薩がた、更には人間や天人に至るまでみなことごとく、その智慧はからっと開けてほがらかで、ひっかかりがなく、からだのかたちやその身にまとうたかざりものに至るまで、どこにも違ったところはないのです。それならばどうして声聞とか菩薩とかの名があるのか、ということになりますが、それは他方に順ずる、すなわち浄土以外の世界であるところの、この娑婆世界に用いる名になぞらえて、このような名があるに過ぎないというのです。

21

顔容端政(げんようたんじょう)たぐひなし
精微妙躯非人天(しょうみみょうくひにんでん)
虚无之身无極体(こむししんむごくたい)
　平等力に帰命せよ

前の第二十首と同じく、偈文と寸分変わらず詠われています。漢文のままであることが、いつもおもしろく引き合いに出されるところです。

浄土の菩薩がたのおんかおばせは、くらべようもなくかたちがよく、すなおに調っています。身体はことによくすぐれて、人間や天人とは全く違っています。

それは涅槃としての身体であるからです。虚無も无極も涅槃を形容している名です。虚無はからっぽの意とはちがって、色もなく形もないことを表わそうとする、有執の否定なのです。无極はきわめてもきわめてもはてを知らぬ意です。だからはて知らぬ法身の体を指すのです。

この平等なる涅槃の徳を、誰にも差別なく平等に与える力の所持者である弥陀に帰命せよ、というのです。人間とか天人とかはその違いに切歯扼腕して苦しみつつ、かえって違いをあらしめようともがいています。浄土の聖聚は、平等の視座に住するがゆえに、声聞とか菩薩とかその名を異にしつつ、法身の体を喜び合えるとは、何という平等力の偉大さでありましょうか。さきの第三首の「平等覚」とも照らしあわせたいのですが、ここでは形がありつつ差別の形を超えているから、差別の辺見を離れしめるために平等力と名のったものです。

22

安楽国をねがふひと
正定聚(しょうじょうじゅ)にこそ住すなれ
邪定不定聚(じゃじょうふじょうじゅ)くにになし
諸仏讃嘆したまへり

『大無量寿経』下巻のはじめに「仏、阿難に告げたまわく、其れ衆生有りて彼の国に生ずる者は皆悉く正定之聚に住す。所以はいかん、彼の仏国の中には諸もろの邪聚及び不定聚無ければなり。十方恒沙の諸仏如来、皆共に無量寿仏の威神功徳不可思議なるを讃歎したもう」という、第十一願並びに第十七願成就文と名づけられる貴重な箇所があるが、これを実に簡潔に詠われたものです。経文の前半と後半がどのように結びつくのか了解ができないが、和讃においても第四行が前三行とどのような緊密なかかわりをもつのか、十分には分かりかねるところです。しかも経文のままの文字を用いて、大きな移動が見られるのです。

経文の上では、仏国に生まれた人は正定聚に住し、邪定聚や不定聚の人はかの仏国にあるはずもありませんと説かれています。しかし和讃では、安楽国を願う人であって、まだ生まれたとはいえないのです。しかも願う人は生まれた人よりも不確実性の要素があるというのではありません。願生は衆生の一方的な願いではなく、仏国よりのはたらきであるわけです。ここでは第十一願成就文に依って詠いつつ、第十一願文の「定聚に住し必ず滅度に至る」を拠点として、現生正定必至滅度を強く打ち出しておられるのです。「必至」は、不安定さを隠すための強がりではありません。必至を言葉だけの整合と見ようとするのは、仏国を主観の映像と仮想するによるのです。当然のように彼土正定と見られていたのが、聖人によって正定がそのはたらきを回復して、現生においてこれが生きることになったのです。

正定は『大経』の本願他力念仏によって浄土への道が向こうからきまってくるのです。自分できめようとするのではありません。もとは見られなかった貴重な現実が手に入ったのです。諸仏が讃嘆せずにおれないような貴重さなのです。これに対して邪定不定聚は「邪定は万行万善自力の往生、観経の説。不定聚は阿弥陀経の心。行は不可思議なれどもわれら自力に修行するあいだ、不定聚と説く」と詳しい左訓を見るように、大経往生に対する二経の自力性が妙趣ゆたかに説かれます。「行は不可思議なれどもわれら」は、音律をもって心に鳴り響きます。邪定はきまりようのないのに、無理にきめようとするから、努力そのものに価値をもたしめようとするのです。不定はきまっているように見えて、きめようとする心に力みがあるのです。それは本当にきまっていないからです。邪定と不定が並ぶことによって、正定がはっきりと浮き上ってきます。

正定聚は現生であることをはっきり示されたところを引用しますと、『三経往生文類』に「大経往生というは、如来選択の本願、不可思議の願海、これを他力と申すなり。これ即ち念仏往生の願因によりて必至滅度の願果をうるなり。現生に正定聚の位に住して、必ず真実報土に至る」とあり、「書簡」の一つには「真実信心の行人は摂取不捨のゆえに正定聚のくらいに住す。このゆえに臨終まつことなし、来迎たのむことなし」とあります。「信文類」には、金剛の真心を獲得する者は現生に十種の益を獲るとしてその第十に「入正定聚の益」を数えて、現益の総括となっています。この正定聚の人には何が開けているのでありましょうか。臨終待つことなしの決断です。法然上人が、念仏申して臨終正念にならないはずがない、といっていられるのを受けて、更に凡夫止住のものとして深化活性化されたものです。臨終より平生へというのは、宗教心の一大飛躍です。ここに正定聚が形をもってきます。また「来迎たのむことなし」は、大胆な断言であって、来迎の否定のように見えますが、臨終来迎があるかないかの恐れからの解放であって、来り迎えたもうは阿弥陀のはからいによるところ、凡夫の苦慮するところでないということは、正定聚の満ち足りた自信です。臨終とか来迎とかは、宗教性そのものとも見られるところですから、それを包んでそれをのり越えることによって、大きな視野が開かれたことになります。死の覚悟を迫られてそれが出来ないことに苦しんでいた人が、死んでいくのに覚悟はいらないと聞いて、安らかな世界が開けてきたのと一つです。死の覚悟なんていう、本来出来ようのない心弱い人びとにとっては、無理難題であったわけです。無知によるがゆえに、かりのこしらえごとをわが心に攻めて、どうにもならない苦しみに陥っているわけです。

23

十方諸有（しょう）の衆生は
阿弥陀至徳のみなをきき
真実信心いたりなば
おほきに所聞（しょもん）を慶喜（きょうき）せむ

第一行の左訓は「あらゆる。諸有は二十五有の衆生という。われら衆生は二十五有に過ぎて生まるということなり」と詳しくしるされます。欲界・色界・無色界の数えれば二十五の迷界を生死流転して、われら衆生は今ここに生存しております。それが深く阿弥陀から問われているのです。迷いの厚さと深さとを黙過できないのが阿弥陀なのです。この迷いの悲しみに大悲して阿弥陀として立つといえます。光明無量・寿命無量という至り尽くした徳を阿弥陀の名に包み、迷える衆生に聞こえる名となりになっているのです。

　その御名が今や聞こえているのです。これは容易なことではありません。聞かしめる力が聞こえしめるはたらきを湧き起こしているのです。阿弥陀の名をとなえることを離れて名が聞こえるということはありません。同時に名が聞こえたということは、阿弥陀の心がいたり届いた証拠です。如来は真実です。真実でなければ、ものを動かすことはできません。真実は虚仮を知らしめて転換するはたらきを持ちます。真実は虚仮をも除外せずに、わが信の中に包みます。これを如来廻向の信心といいます。真実の左訓には「まこと。みとなる。真は偽ならず、仮ならず。偽はいつわる、へつらう。真はかりならず、実は虚ならず、むなしからず」と、懇切に虚偽仮を拒否するはたらきが示されます。

如来のお心が至り届いてわが信心となるならば、その所聞すなわち「信ずる心」を大いに慶喜します。今までの喜びは煩悩とともなるものであったが、この慶喜は未体験の空前絶後のもので、信心をほかにしては得られる道のない、慶喜そのものが所聞と別のものでないのです。

## 24

若不生者（にゃくふしょうじゃ）のちかひゆへ
信楽（しんぎょう）まことにときいたり
一念慶喜（きょうき）するひとは
往生かならずさだまりぬ

「若不生者　不取正覚」は、およそたぐいまれなる金言です。正覚者なればこそ、言えることばであり、正覚の本質を語り尽くしています。汝がなければ我はない、汝によって我が成り立つのが、正覚者の極意です。正覚者の誓願はすでに成就されているがゆえに誓願なのです。もし誓願がなければ一切は止み世界は崩れますが、そうさせないものが誓願です。誓願は時機を待ちます。衆生には必ず誓願の開ける時が来ます。悪戦苦闘の果てにふっと訪れます。信心がまことでなければなりません。まことの心である至心から信心が呼びさまされます。はっと気づいたのが一念です。それは私の考えている時間ではないのです。永劫の時間ととろけあうような、如来の時間というべきものです。私の考えている時間ならば、それが過ぎ去ることに痛みを感ぜしめます。消えていくようないのちでなく、時を与える如来のいのちのふき出したものが一念です。一念はとらえられませんが、無量寿としてのよろこびです。如来の誓いが信を通してよろこびとなった人は、往生者としての必至の約束が出来たのです。

誓いが成就しているのですから、往生も成就しています。臨終を待つには及びません。往生は今においてあるわけですが、「往生定まりぬ」として、今と言わぬところが、宗教性の奥床しさです。その時が来るまでお預けというのでなくして、後の時に譲りつつ、今それがあるというよりもっとたしかなのです。定まったのが今であるから確認ができるのです。

*25*

安楽仏土の依正（えしょう）は
法蔵願力のなせるなり
天上天下にたぐひなし
大心力に帰命せよ

依正の左訓は「依報はよろずの宝樹宝池、よろずのかざりなり。すべてのかざりの名なり。正報はわれらが極楽にまいりなば、神通自在になるをいうなり」と、こちらのはからいを超えた述べ方で、報が業因に報いたという意味は示されておりません。安楽仏国にあっては神通自在であるとは、生き生きとした表現です。そして業因のところは、法蔵菩薩の大願業力によるところなのだと高らかに打ち出されます。それだから天上天下にくらべるものはどこにもないと明言できるのです。「天上天下唯我独尊」と聞き習うていますので、この願力こそ独尊なのだと了解します。だからこそ大願を成就せしめた力の持主たる阿弥陀仏のおおせにしたがえと言いたいのです。

帰命の左訓は「より。たのむ。おおせにしたがう。みようのことばなり。めしにかなうというなり」と、詳しく出るのであるが、すでに第五首の「帰命」で少し出て、またここで極意が一気に出ます。「おおせにしたがう」は発願廻向です。「めしにかなう」は本願招喚の勅命です。勅命が聞こえるとき百雑は砕けます。「みようのことば」は少し不審ですが、名でもあり命でもあるのでしょうか。名が、南无となって、生きたことばとして名告っているとと解してみたいのです。

26

安楽国土の荘厳は
釈迦无㝵の大辯才(みことにて)
とくともつきじとのべたまふ
无称仏に帰命せよ

阿弥陀の安楽仏国の結構は、壮大に厳飾されていて目を驚かすことばかり、いかに釈迦牟尼のならびない弁説の才能をもって説きつくしほめたたえようとしても、そのことばでは及び難いのです。言葉にては言い尽くし難く、完全にほめることばが見い出せないから、无称仏にましますとほめたたえるのです。国土と仏とが一つになっております。

およそ弁説は、説法でなければなりません。情にほだされて理を曲げるものではいけません。衆生の垢の混入しないのが説法です。法は我執を離れていますから終る時がありません。それだから説き尽くせないと知りつつ、どこまでも説いていけるのです。法は寂然としてしずかであって、どのような形も意味ももたないから、それゆえにこそ浄土の荘厳は、音楽も奏でられて動的に光り輝き、寂然たるいのちに交流して、いよいよ寂然たらしめるのです。弁説は情を波立たせるようなさわがしいものではありません。激情を誘うのは、衆生の垢です。煩悩の中の出来事です。

説法として貫いているものは何であるか。大悲心をもって大乗を讃めることです。讃めるのは仏でなければできないことです。大乗を讃めるのは、みんながたすかることを讃めるのです。たすかるとは、仏の心がそこに至って働くのです。仏の心とは大悲心です。衆生の悲しみをよくみて、その悲しみの中へ自らの身をおくことです。悲しみを解消するのでなくその悲しみの深い意味を問うのです。だから説法とて、何か耳新しいことが説示されるのでなく、また法を聴く人も何かの所得を期待するのではありません。「終日説くとも、いまだかつて説かない」といわれるゆえんです。

27　已今当の往生は
　　この土の衆生のみならず
　　十方仏土よりきたる
　　无量无数不可計なり

已今当とは、過去現在未来です。浄土往生者は、古い世から今日に至るまで続き、更に未来にもわたるのですが、それはただこの娑婆世界だけの衆生に限るのではなくして、他方の十方仏国からも来参します。その数量はあまりに多くして計算のできるものではありません。

28　阿弥陀仏のみなをきき
　　歓喜賛仰せしむれば
　　功徳の宝を具足して
　　一念大利无上なり

偈に「若し阿弥陀の徳号を聞いて歓喜賛仰し、心に帰依すれば、下も一念に至るまで大利を得ん、則ち功徳の宝を具足すと為す」とあるにしたがって誦みあげたものです。阿弥陀仏の名号を聞いて身もよろこび心もよろこんで、ほめたたえあおぎまつると、名号のもっていられる功徳の宝がみなことごとくこの身に与えられて、たちどころに大涅槃というこの上なくすぐれた大利をそなえることができるのです。

歓喜はそのまま信心であって、初一念と同時にわが身にはじめておこるものです。もとから知っているよろこびは、煩悩によってもろくも左右されます。信心歓喜は、いかなる煩悩にも无㝵なるものです。よろこびとはいっても人間の思いでかかずらうならば、よろこばせない障害がおこってこころ沈むときには、信心が消えたのではないかと、恐れることになるわけです。身口意の三業の中に溶けこんでいる歓喜、それは信心でなければ得られるものでありません。

涅槃を得ることが大利であって、他の大利らしく見えるものは、その利を失いはせぬかと懸念せねばなりません。しかもその大利たる涅槃は、得ようとして他のものをつかんでしまったり、得る方途さえ見つからずに終るのであるが、廻向された信心が、信心の道理として涅槃と直結しているわけです。証大涅槃を内包しているほど、信心は大きくはたらいているのです。「无㝵光仏の不可思議の誓願、広大智慧の名号を信楽すれば、煩悩を具足しながら无上大涅槃にいたるなり」(『唯信鈔文意』)とは、猛鷲が絶壁の岩角から今や飛翔せんとする強烈なる爪の構えを感じさせます。大涅槃そのものから書かれています。証を信のところで語るから、証についてのつつしみがよく見えます。「安養にいたりて証すべし」など、深い心がよくあらわれております。

浄土は理想の世界と見て肯定しようとする人もありますが、そうならば幻想と見ようとする余地も立場もありうるわけです。そうかといって現実こそ本当にここにあるものであって、真実は現実を離れてどこにもないといってしまえば、そのような純粋な現実は誰がどのようにして、ここにそれがあるととらえることができるのであろうかと、現実といわれるものを問い返さねばならなくなるのです。そこにそれがあるとか、そのようになっているとか、みんながそのように考えているとか、このようなものを安易に現実に思いなして、あるがままと簡単に呼ぶけれども、拒否を経ていない現実というものは、ご都合からうみだした、力の弱いこしらえものであることを恐れねばなりません。すでに現実はこのようになっていると現実重視の賢こぶりを示すのは、日和見の現実主義者というものです。真偽を問わずして多数のあるところを肯定しようとするのです。そのような現実は仮に有るに過ぎないので流転していきます。現実は過去と未来との接点に立つものですから、最も生きた一点としてそれは有るわけです。浄土の光に照らされてはじめて現実は確実存在となります。それまでは現実は見えないわけです。浄土が未来から来ることによって、二つも三つもない一つでしかありようのない現実が、はっきりと写し出されます。そこに自己をおいておける、否定を通した大いなる肯定です。現実に目覚めた「覚存（かくぞん）」となります。

この第二十八首と次の第二十九首とは、讃偈においても続きますが、この続いた八句が「行文類」に引用されます。それも『安楽集』を通してであることに注目したいのです。「又云『大経賛』云」というかたちで引かれます。和讃は終始にわたって『安楽集』の影響の大きいことは驚くべき注目点です。この『大経賛』とあるところから、この偈のもとにたちかえりましょう。

「仏、弥勒に語りたまわく、其れ彼の仏の名号を聞くことを得ること有りて、歓喜踊躍し乃至一念せん。当に知るべし、此の人は大利を得とす。則ち是れ無上の功徳を具足するなり。是の故に弥勒、設い大火の三千世界に充満すとも、要ず当に此を過ぎて、是の経法を聞きて、歓喜信楽し、受持・読誦し、如説に修行すべし」と、『大経』の結ばれるところで、更に「特に此の経を留めて止住すること百歳せん」と慈悲心が流れいで、感動これを久くし三誦して絶えない名所となっています。

29　たとひ大千世界に
みてらむ火おもすぎゆきて
仏のみなをきくひとは
ながく不退にかなふなり

「東方偈」には「たとい大火が世界を一なめにすることがおこってきても、そこで必ずなすべきことは、その火を過ぎ超えて、法を聞くべく急がなければならない。そこにおいて必ず仏道をなしとげて、広く生死流転の激流をわたりきることができるのである」と説かれ、これに動かされた『讃偈』には「たとい大千世界に満ちみつる火であろうとも、それを直ちにのりこえて仏名を聞くべきである。阿弥陀の名を聞くならばもはや退転するということはない。このゆえに至心に稽首し礼したてまつれ」と唱和され、更に『往生礼讃』には感銘を斉うし「たとい大千に満つる火なりとも、直ちにそれを過ぎて仏名を聞け、名を聞いて歓喜し讃仰する者は、皆もろともにかの仏国に往生することができるのである」と伝承されています。

小千世界・中千世界・大千世界を総称して三千大千世界といいます。われをおく世界を悉く尽くしているのです。たとい火が満ちようとも、と言ってありますが、さまざまの業火が燃えあがるのが世界の様相です。願わないけれどもわきおこる障害を火で代表します。火が迫ることがなければ、仏名を聞かんとおもいたつ時節が到来しません。火をのりこえて向こうから聞こえてくるものが仏名です。

火を過ぎて仏名を聞けよ、聞くことのできたひとは、不退位にかなってながく退転しないというのです。『讃偈』の「また退かず」を自身の最も愛好される不退として受けとめられたのです。「不退にかなう」とは、不退転に住する道の閉じられたものに、聞名一つによって今や不退の位に住するに等しいとて、称讃されるめでたさです。

水火二河の譬喩というのがあります。善導の信心体験の実録です。行者が白道を一歩一歩踏みしめてゆくのに、決して無事平穏ではありません。青黒い荒波に足もとをすくわれ、一方から猛火がふきつけます。この水火は貪瞋煩悩のことなのです。これを徹底して言い尽くされた一節が『一念多念文意』にあらわれます。「凡夫というは、無明煩悩われらがみにみちみちて、欲もおく、いかり、はらだち、そねみ、ねたむこころおおく、ひまなくして臨終の一念にいたるまでとどまらず、きえず、たえずと、水火二河のたとえにあらわれたり」と。この大いなる見通しに遇えば、煩悩とのたたかいのはての克服というような妄想は、ふっとびます。地獄の猛火、化して清涼の風となる力によらなければ、火は燃え続けます。

30
神力无極（じんりきむごく）の阿弥陀は
无量の諸仏ほめたまふ
東方恒沙（とうぼうごうじゃ）の仏国より
无数（むしゅ）の菩薩ゆきたまふ

『大无量寿経』下のはじめに、注目すべきかなめの「十方恒沙の諸仏如来、皆共に无量寿仏の威神功徳の不可思議なるを讃歎したまう」とあるところ、更に「東方偈」に「東方諸仏の国、その数恒沙の如し、彼の土の菩薩衆、无量覚に往覲したてまつる」とある二章によって構成されています。

神力无極の左訓は「たましい。神通自在にましますことのきわまりなきなり」とあります。たましいというのは、こうごうしい威神力を指すとみたいのです。魂神精識（こんじんしょうしき）とは少しちがうと思います。威神力としてかまえているのでなく、自在神力としてはたらいているから尊くあるわけです。諸仏はこの阿弥陀の自在神力のきわまりなさを発見し称揚することができたのです。このことが諸仏を諸仏たらしめ、諸仏を輝かし、阿弥陀を阿弥陀たらしめているのです。ほめることは仏の功徳としてのなしわざです。阿弥陀を本当に知っていなければ、ほめたことがむなしい響きとなります。仏に私心のないことはもとよりですが、ほめることに私心があれば逆転します。諸仏が弥陀をほめるのは、ほめることを弥陀から与えられているというべきです。与えられたものはかえした時にいのちを全うします。

先ず東方のガンジス河の砂ほどの无数の仏国からも、数えきれない菩薩がたが、諸仏のほめことばの中を阿弥陀の国へと往かれるのです。

31 自余の九方の仏国も
菩薩の往覲またおなじ
釈迦牟尼如来偈をときて
无量の功徳をほめたまふ

前の三十首において東方の仏国を代表として掲げ、ここではその他の三方四維上下を九方の仏国として総括されます。次の「往覲」は、「往覲偈」と称されるほど重きをなすことばであり、「往生して仏をみたてまつるなり。十方より菩薩の極楽へ参りて弥陀をみたてまつるこころなり」と左訓されて、その意味がよく分かります。九方の仏国みな同じであり、九方の中には西方もあるのですから、弥陀の仏国は西方という方角をも超えていることを、ここに感じるのです。

釈迦牟尼仏は「往覲偈」（東方偈とも呼ぶ）を説いて、弥陀のはかりない功徳をほめたたえられます。

32
諸来の无量菩薩衆
徳本うえむためにとて
恭敬をいたし歌嘆す
みなひと婆伽婆に帰命せよ

十方諸仏国から弥陀の浄土へ来られるはかり知れぬ数の菩薩方は、「植諸徳本」とて功徳の本源たる名号を念じとなえられるのです。恭敬については「つつしみ、うやまう。こころもおよばずうやまうこころなり」と左訓され、龍樹讃第六首にも「恭敬の心に執持して」と詠われますように、名号をとなえるについての謙譲無比なる態度が示されます。こころを尽くしても及ばないような敬いの極地です。

これは名号の種をまき、芽を育てるについての心的態度です。先の龍樹讃には「弥陀の名号称すべし」と続くところですが、ここには「歌嘆す」と詠われます。声をあげてほめるのが歌、心の中にほめるのが嘆です。口にも心にもほめあげることが、徳本をうえることになります。阿弥陀を歌嘆するのが菩薩のいのちです。ほめる力を阿弥陀より与えられたのが、菩薩だということができます。ほめるという徳をそなえているのは阿弥陀自身なのです。

婆伽婆というのは、サンスクリット語 bhagavat の音を写したもの、薄伽梵とも訳します。仏を称するのに十の異名がありますがその中の一つです。尊い師の意味で世尊と訳します。仏陀釈尊に世尊よと呼びかける用語です。ただしここでは阿弥陀の別号であり、「応供」と同じように仏陀を称した名がそのままこだわりなく阿弥陀を指しております。二尊一致が自然のおおらかさをもっており、釈尊は実在、弥陀は象徴などという分別見からでは、到底真実が見えないわけです。

33 七宝講堂道場樹
方便化身の浄土なり
十方来生きわもなし
講堂道場礼すべし

仏道の庭には、講堂があり道場樹が並んでいて、その講堂は金、銀、るり、はり、さんご、めのう、しゃこの七宝をもってちりばめられ、燦然と輝いて目もまばゆいほどであるが、これは一応衆生を誘い引き入れるために、弥陀が仮の浄土をあらわし出された方便てだての浄土であって、「雙樹林下(そうじゅりんげ)の往生」と名づけられるところ、真実の報土でないことをきっぱりと示されています。しかもここにも十方国土より来たって往生するひとは後をたたないといいます。このような講堂や道場をもうけられた弥陀に敬礼すべしというのです。このようにしてさしのべられた弥陀の誘引の手に謝念を捧げられたところです。

34 妙土広大超数限(ちょうしゅげん)
本願荘厳よりおこる

清浄大摂受に
稽首帰命せしむべし

たえにすぐれた不可思議の浄土は、数量の限定を超え離れています。このようになっているのは、もと法蔵菩薩の起こされた本願力によって象徴され表現され形作られたところなのです。あらわれでようとする動態を、真にそのものであるように構築するのは、容易にできようもないことなのです。

この濁りなく清浄であって、一切を大きく受け容れる荘厳浄土の施設者たる弥陀の前に、ぬかずいて帰依合掌せずにおれないところです。

35
自利利他円満して
帰命方便巧荘厳
こころもことばもたえたれば
不可思議尊に帰命せよ

第一行の左訓は「自利は阿弥陀の仏になりたまいたるこころ。利他は衆生を往生せしむるこころ。円は善悪すべて分かず、よきことになしてましますこころ。満は（この二字は原文には脱落している。写誤であるのか。前出の「円は」に対比するのがしぜんである）こころの満ちたるところなり。自らも仏になり、衆生も仏になることを円満すというなり」と至って長文です。阿弥陀はもとから仏にましますといわずして、なりたもうとの指示は刮目すべきです。仏が仏になる以外に自利はないと聞くことによって、平素の自利についての考え方が破られます。利他は善人悪人すべて往生せしめるはたらきですから、利他が成就することによって、自利が成り立つわけです。自利ばかりで利他がなければ、まどかに満ちたるとはいえません。もし利他ばかりで自利がなければ、円満とはいえないわけです。

円満であるがゆえに、円満のあらわれとして、てだてがゆきとどきます。巧妙に浄土が荘厳され、自利利他円満のしるしとされます。この方便巧荘厳に南无するばかりです。自利利他円満するのは、浄土においてでありますが、更にいいますと円満するのが浄土なのです。浄土はゆたかに満ち足りております。帰命阿弥陀そのままに帰命浄土です。

これらのことはわたしどもの心を尽くしても及ばず、どのような言葉をもってしても尽くしえませんので、不可思議尊とたたえまつって、帰依尊重するばかりです。

さて一つ平素からこころにかかっている問題を提起します。どこへ出すのが時宜に適しているかもよく分からぬわけです。今讃の「自利」、第二行と第四行の「帰命」を通してなのです。それは真宗の聴聞に際して荘重に儀礼化されている「三帰文」にかかわります。先ず帰依仏について「自ら仏に帰依したてまつる。まさに願わくは衆生とともに、大道を体解して、無上意を発さん」とよみあげてみましても、幾多のひっかかりが出てきます。この「自ら」は何のためにおかれているのかよめないわけです。「帰命せよ」と対比するならば「帰依したてまつる」は影がうすいわけです。「衆生とともに」これこその意味がどうしてもよめません。「無上意」といえば菩提心ですから、菩提心を要としない教えのただ中にあって、どうして真宗のひとが、このようなきばった声を出すことに慣習化されているのでしょうか。

誰しも苦慮はされているようで、ある学者は「自ら仏に帰依せば、当さに願うべし、衆生は大道を体解して無上の意を起こさんと」とよまれます。「起こさんことを」と結んだらどうかとも思います。「衆生は」といわずして「衆生」といって自らの名告りをあらわしたもの、との解釈を聞いたこともあります。どれだけ苦心しても、真宗の教えの上に光を投ずるとは思えません。とらわれる必要はないわけです。ここにおいても和讃のとおとさを切に感じますし、「帰命せよ」の表現こそ阿弥陀のいのちが衆生を生かしめている躍動が輝いています。「帰命せよ」を離れて帰命はないわけです。これから帰命するとか、帰命してしまったとかになるならば、今に生きていないわけです。「帰命せよ」の中に過現未が統摂されます。如来より利他されている衆生が「帰命せよ」と呼ばれているのですから、もとの迷いの衆生ではないわけです。「帰命せよ」の声の中に生きる衆生として誕生しているのです。「大道を体解する」などややもすれば宙に浮きますから、やさしくやわからな、しみいる表現に親しまねばなりません。

36

神力本願及満足
明了堅固究竟願

慈悲方便不思議なり
　真无量に帰命せよ

第三十五首の「方便巧荘厳」としての浄土は、弥陀の不思議な力と本願力とによって、かたちづくられたものなのです。この本願なるものは満足なるもので、欠けるものを補うための願いではなく満ち足りたところから起こされていて、しかも明了、明らかにさとっていて、衆生を信ずるかたさは微動だもせず、衆生にとおれば金剛堅固の信心となるもの、更に究竟とていたりつくさねばおさまらない願なのです。

これらのことは衆生をおもう慈悲心が方便分別智をもってはたらきかたちをあらわしたもので、こちらの思いの及ぶところではないのです。真実にして无量にましますが阿弥陀に帰命せよとの命令が今明らかに聞えてきます。

37

宝林宝樹微妙音
自然清和（しょうわ）の伎楽（ぎがく）にて
哀婉雅亮（あいえんがりょう）すぐれたり
清浄楽（がく）に帰命せよ

浄土荘厳のあらわれである、こんもりしげった宝林宝樹のその中から、こまやかにしてたえなる音楽がひびいてきます。『讃偈』に「法音清和にして心神を悦ばす」とあるように、ひとりでにかなでるものもなくして、清らかに相和して、音楽のあやつり手たちが奏でているようです。この第二行には「宮・商・角・徴・羽の声のやわらぎたるこころなり」と左訓されて、第三十九首の「いつつの音声」と「宮商和して」とに係わりをもっていきます。

第三行の「哀婉雅亮」には「あわれにたわやかなる響、たわやかなり。亮はたすくと読む、または人の名にはなんのすけと読むなり」と左訓されているが、この四文字に音楽の特色を読みたいと思います。哀、いつくしみの情がこもる。婉、しとやかで優しさあふる。雅、みやびやかでしなやか。亮、音がよく通ってほがらか。このような意味でよろしいのかどうか、なお尋ねねばなりません。人びとの心の底に求めていたものと相和するから音楽ともいえるのでしょうが、芸術には官能的充足も欠かせないのでしょうから、人間の魂に響く浄土の音楽はどのように超えて微妙なのか、その解明に音楽家の参加を乞わねばなりません。清浄楽は、音楽家の耳を通して聞こえるものなのでしょうか。「無耳人」という言葉もありますから、浄土の清浄の音楽を聞く耳は、浄土から与えられるという悦びを知りたいのです。

38

七宝樹林くににみつ
光耀たがひに暎発す（かがやけり）
華菓枝葉またおなじ
本願功徳聚に帰命せよ

『大経』上にあるままです。「またその国土に七宝のもろもろの樹、世界に周満せり。金樹・銀樹・るり樹・はり樹・さんご樹・めのう樹・しゃこ樹なり。あるいは二宝・三宝、乃至、七宝、うたた共に合成せるあり。あるいは金樹に銀葉華果なるあり。あるいは銀樹に金葉華果なるあり。乃至このもろもろの宝樹、行行相値い、茎茎相望み、枝枝相準い、葉葉相向かい、華華相順い、実実相当れり。栄色光耀、勝げて視るべからず」とあるところ、まさしく詩的風光であり、七宝のお互いの華や実や枝や葉のうつしあいは、見ることを超えて色も光もかがやいています。

本願によってこれらの功徳を積みたもうたお方に、心をよせかけ讃嘆するばかりです。

39 清風宝樹をふくときは
いつつの音声いだしつつ
宮商和して自然なり
清浄勲を礼すべし

第三十八首に続くところで、経文は「清風時に発りて、五つの音声を出だす。微妙にして宮商自然に相和す」とあり、聖人が「自然」にどれほど心を惹かれていられたかの読める一つの場所です。偈に「微妙の雅曲自然に成る」と頌されているのも、偈主の快朗の気持ちがよく伝わってきます。

五つの音階楽音のことは、第三十七首の左訓にすでに出ているところです。「宮商和して」とは「五つの音声」を意味しているので、音と音とが他を排し合わないで、調和の極地を示した雅曲なるもので、おのずからそうならしめられて、一点の無理もみられません。偈の「清風時時に宝樹を吹く」というのも自然にかなうています。時あって吹かなければ、清涼の風も感ぜられません。この清風の吹いてかおりゆたかな浄土の主たる阿弥陀仏に合掌礼拝を捧げるばかりである。

この「宮商和して」について、宮音と商音とは音声の上で和するものではない、それにもかかわらず「和して」といわれるところが、不思議の国の不可思議のハーモニーとなっている、と聞いて、そういうことであったのかと一時は驚いて感じ入ったのであるが、日を経てみると、そういうことを取り立てていう必要もない自然音楽なのだ、というところへまたかえってきているところです。あい和せないものがあい和するなどの発想をいれないのが、この和讃のこころではないでしょうか。

『大経』文にかえりますならば「清風時に発りて五つの音声を出す、微妙の宮商、自然に相和せり」とありまして、音階のあい和すること、微妙とか自然とか、浄土の楽音ここにありと感ぜずにおれません。清涼の風こそ浄土のものであり、あい和するのは清涼そのものです。

この今の「清風時発、出五音声、微妙宮商、自然相和」に依って、唐の法照は念仏の調音を五種に分かち、五会念仏の行儀作法をつくりました。一、平声にゆるやかに念仏する。二、平上声にゆるやかに念仏する。三、ゆるやかならず急ならずに念仏する。四、おもむろに急に念仏する。五、阿弥陀仏の四字をただならず急に念仏するという五会に修したのです。

40　一一のはなのなかよりは
　三十六百千億の
　光明てらしてほがらかに
　いたらぬところはさらになし

ここから三首にわたって、『大経』上の終りの華やかなところが、偈を通して詠われます。「また衆宝の蓮華、世界に周満せり。一一の宝華、百千億の葉あり。その華、光明、無量種の色なり。青き色には青き光、白き色には白き光あり。玄黄朱紫、光色もまた然なり。暐曄煥爛として日月よりも明曜なり。一一の華の中より三十六百千億の光を出だす。一一の光の中より三十六百千億の仏を出だす。身色紫金にして、相好殊特なり。一一の諸仏、また百千の光明を放ちて、普く十方のために微妙の法を説きたもう。かくのごときの諸仏各各無量の衆生を、仏の正道に安立せしめたもう」と、青色青光、白色白光、実によく画いたものです。

浄土の蓮華には、その一一の花に百千億の花びらがあり、一一の花びらに青黄赤白玄紫の六色の光があって、その光どうし互に照らし合うて六六三十六となり、百千億に掛けて三十六百千億の光明となります。「ほがらかに」とは、偈の「道光明朗にして色超絶したまえり」を想起します。「いたらぬところはさらになし」は无㝵光なればこそです。

この无㝵光がたっぷりとどいている境遇を、法然上人がお詠いになったと伝える一首を掲げます。

月影のいたらぬ里はなけれども
眺むる人の心にぞ住む

更に鏡倉の報国寺（竹の寺）の門を入ってすぐに、小さい石に刻まれている一首が同巧を感じさせます。無量光にゆあみした人の作だと思います。

数ならぬ庭の小草の露にさへ
求めて宿る秋の夜の月

41　一一のはなのなかよりは
三十六百千億の
仏身もひかりもひとしくして
相好金山（そうごうこんぜん）のごとくなり

一つ一つの蓮華の中から三十六百千億の光明が照らしたと同じように、その数だけの仏身が現われて、そのすがたかたちは黄金でできた山のように、まばゆく輝いています。その相好につきましては、釈尊の特異相を三十二相八十随形好（ずいぎょうこう）と数えて、ほめたたえています。

仏の三十二相とはたとえば、広長舌相、舌が広く長く柔軟にして、舌をのばすと面をおおいかくして髪際にまで及び、又は梵音深遠相、音声清浄にして遠くまで聞こえ、又は眉間白毫相、両眉の間に白毫（びゃくごう）（白いけすじ）があって右旋（うせん）していつも光りを放っているなど、常人よりもきわだった相好です。なおこの上に八十微妙種好とて、三十二相に付随して仏身を荘厳するすぐれた相好が数えられます。

42 相好ごとに百千の
　ひかりを十方にはなちてぞ
　つねに妙法ときひろめ
　衆生を仏道にいらしむる

三十六百千億の仏身の相好の一つ一つから、十方に向かって光を放って、かわることなく微妙不可思議の法を説きひろめ、生死に迷う人々を仏の正道に安立せしめます。光の中に摂められて衆生が仏道に入らしめられます。浄土は娑婆界より隔絶するかに説かれながらも、ふと衆生がその中に現われ、われにかえったように衆生誘引のための浄土建立が示されるのであります。

43 七宝の宝池いさぎよく
　八功徳水みちみてり
　无漏の依果不思議なり
　功徳蔵に帰命せよ

偈には「八功徳水池中に満つ。色味香潔甘露の如し」、少し間をおいて「無漏の依果思議し難し。このゆえに功徳蔵に稽首したてまつる」とあるのを、連続の形にして詠ったものです。「いさぎよく」はこの潔に当ります。

八つの功徳をそなえた水については、善導の「定善義」に次のように示されます。1清浄潤沢(にんたく)。すきとおっていてうるおいを与える。2不臭(ふしゅう)。くさくない。鼻にさからうにおいがなくこころよい。芳香をもつといわないのでよく水性をあらわしている。3軽。かろやか。これも言い得て妙である。水はこのようでなければならぬ。4冷。すずしと訓ずるのであろう。暑熱の者の救われた感じである。妄執をぬぐいさるものがある。清涼の風と呼応している。5軟(なん)。やわらか。水の質として言い尽くしている。固執の悩みをもってこの水を飲めば、柔軟性に溶かされてしまう。6美。うまい。美味、賞味である。加工のうまさではなくして、それ自身としてもっている水のうまさが、舌を廻心せしめるのである。ジュースなどに慣れている舌には、この水のうまさを味うことも願求することも消されている。7飲時調適(おんじじょうじゃく)。飲むとき心地よし。煩悩の底に沈んで熱悩するときも、この水を飲めば身心ともに調えられてさわやかになる。これは一時しのぎのものでない。永遠の純粋性に素直に触れている。身心の調適こそ浄土の功徳といわれるゆえんである。これを求めてついに得られずして苦悩して生きるのが娑婆の生涯なるものである。8飲已無患(おんいむげん)。飲みおわってわずらいなし。これを飲むとき身心の病患が消える。憂えわだかまりがあって暗く沈んでいたのが、本願醍醐の妙薬として、雲散霧消してさわやかになる。

以上のように八功徳水は浄土の荘厳を語って大いなるうなずきを与えます。七宝をちりばめて造園された宝池は香潔にかがやき、八つの功徳（根本能力）をもつ水が満ちみちてあふれています。このように濁りやよごれを知らぬ浄土荘厳は、思いはからいの及ぶところではありません。漏は煩悩、如来のおしごとのじゃまをするはたらきです。依果は、身のよりかかる依報であり、ここでは宝池であります。このような功徳を身におさめていられる阿弥陀に南无帰命するばかりであります。

44　三塗（さんず）苦難ながくとじ
　但有（たんぬ）自然快楽（けらく）音
　このゆへ安楽となづけたり
　无極尊（むごくそん）に帰命せよ

地獄・餓鬼・畜生の三悪道の苦難の門が末長く閉ざされ、ただ聞こえてくるのは誰も奏する者もないのにひとりでに鳴る快朗なる音楽ばかりです。それでこの国を安楽と名づけるのです。尊とさ極まりのない阿弥陀仏に帰命せずにおれません。

ここに高らかに誦することを得るのは四十八願であります。

第一願、たとい我、仏を得んに、国に地獄・餓鬼・畜生あらば、正覚を取らじ。

第二願、たとい我、仏を得んに、国の中の人天、寿終りて後、また三悪道に更（かえ）らば、正覚を取らじ。

45　十方三世の无量慧
　おなじく一如に乗じてぞ
　二智円満道平等（びょうどう）
　摂化（せっけ）随縁不思議なり

偈の「十方三世の无量慧。同じく一如に乗じて正覚と号す。二智円満にして道平等なり。摂化することと縁に随う故（まこと）にそこばくならん」とあるを、ほとんどそのままに讃詠されたものです。第三行には「二智円は、この娑婆世界の智慧、仏道の智慧、みなさとりたもうこと平等なり」と左訓されます。これによって「道」は仏道であるとしても、二智と道との結び係りはよく読めません。「平等」につきましても「ひとしと、たいらかなりと」だけでは、この際の平等性がよく解かれません。

十方にわたり過・現・未に及ぶ、はかり知れない智慧をそなえた諸仏が、みな同様に一如真実の道理をもととしそれに乗っかり、仏道の智慧たる無分別智と、娑婆の智慧たる分別智とを円満平等にはたらかせて、衆生をおさめとってそれぞれの縁に随って教化救済される模様は、衆生の思いを超えて不思議と申すほかありません。左訓に「みなさとりたもうこと」とあるのは、諸仏のさとりが阿弥陀のさとりと各別なものでなくて平等であることを示すのでしょうか。

46　弥陀の浄土に帰しぬれば

すなわち諸仏に帰するなり
一心をもちて一仏を(は)
ほむるは无导人をほむるなり

偈を見ることによって、意味するところがはっきりします。「我阿弥陀の浄土に帰するは、即ち是れ諸仏の国に帰命するなり。我一心を以って一仏を讃ず、願くは十方无导人に徧せん」を少しく略して詠ったものです。

阿弥陀の浄土に帰命するならば、そのまま諸仏の国に帰命することになります。浄土の弥陀に帰命することは、他を排した一仏というのではなくして、全く同時に十方の諸仏にも帰命しているというのです。一仏すなわち阿弥陀仏に帰命することは讃嘆することであり、讃嘆することはこちらの分別を加えるのではなくして、純粋なる一心に立つことです。この一心に立つならば同時にあまねく十方无导人に及ぶのです。「无导人」の左訓には「阿弥陀の法身の体なり」と記されます。

この『讃偈』と同一作者たる曇鸞の『論註』下（行文類引用）には華厳経を引いて「十方无导人、一道より生死を出づといえり。一道は一无导道なり。无导は謂く生死是れ涅槃なりと知るなり」とありまして、「无导の一道」の源泉です。无导人は出離生死の人でありますが、出で離れるとはいうものの、生死のさわりをさわりとはせず、憎まずきらわず、生死の当体に涅槃が成就されるのです。それだから无导といわれるのです。煩悩の所有者と他なる煩悩の所有者どうしは、煩悩のゆえにきらいあわねばなりませんし、その煩悩が仏作仏行を邪魔して仏の心に背くのですが、その自己に背く煩悩に无㝵であるのは、諸仏に帰した心であります。障りを徳と転ずる力が无㝵道です。生死そのままが「ながく生死をへだてける」になります。

47

信心歓喜慶所聞
乃曁一念至心者
南无不可思議光仏
頭面に礼したてまつれ

この第二行の曁は「がい」と読むことになっており、乃至一念の「至」と同意と聞いております。先ず原の偈を見ます。「諸、阿弥陀の徳号を聞きて、信心歓喜して聞く所を慶ばんこと、乃一念に曁ぶまでせん。至心の者廻向したまえり。生ぜんと願ずれば皆往くことを得しむ。唯五逆と謗正法とをば除く。故に我頂礼して往生を願ず」とあるものから、最初の二行は偈の文字のままに詠われていまして、実に無理なようにも感じますが、よくよくおもいをひそめますと、「至心者」と切られたことによって、聖人が独歩の転回をされた要点が浮かび上ってきます。

その独歩性に感佩するがゆえに、「信文類」本に引用されている『大経』下巻始めの文の読み方に改めて心を注ぎましょう。「本願信心の願成就の文『経』に言わく、諸有の衆生其の名号を聞きて信心歓喜せんこと乃至一念せんと」。しばらくおいて「是を以って本願の欲生心成就の文

『経』に言わく、至心廻向したまえり。彼の国に生ぜんと願ずれば即ち往生を得、不退転に住せんと。唯五逆と誹謗正法とを除くと」。本願成就文を、信心の願成就と欲生心成就とに分割され、それが「如来の至心廻向」によるものであることを開示されましたのは、画期的な大事業と称すべきです。そこに至る推求の経路として、この讃偈の影響を見たいと思います。

「乃至一念せん」「すなわち一念におよぶまでせん」というのは、わかりにくい表現ですが、慈悲心の徹底したかたちなのです。一念はまじりけのない純粋性を示し、はからいをもってつくりあげるものではありません。信心の開発するきわめて短い時の刻みです。はっと感じる一瞬とはいっても、それは如来の時間なるもので、人の計算でつかむのではないのです。人のつくりなせる記号としてとらええないものであり、したがって記憶の事実として保持するものではないのです。それだから一念の第二の内容として、広く大きくして、わが思いを超えた慶心であると解き明かされます。自分で材料を集めて達成されたよろこびではないのです。万劫の初事として感知された慶心の中に自己を見い出すのです。ここにかの「慶ばしきかな、心を弘誓の仏地に樹て、念を難思の法海に流す」との深い感動のあらわし方の中に、「念」と「慶」とのかかわりを想起するのであります。

続いて欲生心成就の「至心廻向したまえり」は、「一念に至るまで至心に廻向して」とあるところを、こちらからあちらへをあちらからこちらへと大転換の成し遂げられた金字塔なのです。至心の主体は如来です。至心であるところの如来がその至心の全分を傾けて衆生に廻向したまうのであります。至心だから廻向できるのです。偈において至心と廻向との間に「者」の一字が加えられて「至心者廻向」となったことは、一語能く回天の力ある千鈞の重みをずしりと感じます。しかも和讃にあっては至心者で切れて廻向が続かないところが不審として残りますが、思いめぐらす余地の与えられていることもかたじけないことです。

第一行の「信心歓喜」は歓喜信心とも称され、信心と歓喜とは同一内容であって、「信心をよろこぶ」とも言いますが、よろこぶことを信心の上に加えるのではないのです。「初歓喜地」とて初めて歓喜地を証することが、龍樹讃にも詠われますように、信心でなければ得ることのできない歓喜なのです。もとから知っていたものではないのです。第二十八首の「歓喜」の左訓には、身をよろこばしむる、心をよろこばしむる、とあったのですが、ここでは「信心をかねてよろこぶ」として、次の「慶」の「えてのちによろこぶなり」と対比してあります。つねに体験的にこのおもいをこめていられたのか、『一念多念文意』にも左訓よりはいささか詳しく「歓喜は、うべきことをえてんずと、さきだちてかねてよろこぶこころなり。慶は、うべきことをえてのちによろこぶこころなり」との叙述を見ます。将来の浄土、まだ来ていないがまさに来らんとする浄土、将来がかえって真実としてまのあたり感ぜられる浄土、このようにしてかねてのよろこびの与えられるのが、信心の悲しみをたたえたよろこびです。しかもえてのちによろこぶ「慶」も同時に語られるところが、信心の深みです。

さて一首全体を通しましょう。阿弥陀至徳のみ名を聞き、わが身に聞こえたことをよろこび、信心開発のはじめてのよろこびにたっぷりひたり、はっと目覚める一念だけにてもとの懇切なる慈悲に打たれます。このような空前絶後の出来事を与えたもう、至心のひとなる阿弥陀の不可思議光にひれ伏し、頭や顔を仏足にすりつけて礼拝するばかりです。

## 48

仏恵功徳をほめしめて
十方の有縁にきかしめむ(ん)
信心すでにえむ(ん)ひとは
つねに仏恩報ずべし

讃偈には「我仏恵功徳音を讃す、願くは十方諸(もろもろ)の有縁に聞かしめて、安楽に往生を得しめんと欲(おも)わん者の、普く皆意の如くして障㝵なからしめん」とあるところ、よって今讃の第三・四行は、総結として添えられたもののようです。弥陀仏の智慧と功徳の響音とをほめたたえて、その音声がありとあらゆる宿縁をもつ人々に聞こえるようにしたいのです。ほめたたえる声は仏の声であるわけです。その仏の声を聞き、仏をほめたたえることのできる人は、すでに信心をえた人といえます。信心の人は往生を願いつつ、障りはどれほど多くても、无㝵のはたらきにいそしむことができます。そのまま仏の御恩に報いているのですから、功を誇ることもなく、疲れることもありません。

「信文類」の「必ず現生に十種の益を獲」のところに「八つには知恩報徳の益」があります。

信心の利益として知恩報徳があるというのです。利益があったならば報いねばならぬというのではありません。仏恵功徳をほめあげることは、こちらから何かをつけたすのではなくして、信心のはたらきそのものです。信心でなければ出来ない仕事なのです。信心は我ならぬ如来が我に来たって我となってはたらくことですから、信心には疲れがありません。為しても為したというほこりが見えないのです。報恩が仏心を離れて人間顔となったとき、惜しくもこしらえものとなります。報恩は人間の思いをととのえるのではありません。仏恵功徳をほめて十方の有縁に聞かしめるのは、信心は自分ひとりの胸の中のかすかなほほえみではなく、ひろびろと生死海・業海を呑み竭くしていくことになるのです。

己上四十八首　愚禿釈親鸞作

阿弥陀如来　観世音菩薩　大勢至菩薩

釈迦牟尼仏　富楼那尊者　大目犍連　阿難尊者

頻婆娑羅王　韋提夫人　耆婆大臣　月光大臣

提婆尊者　阿闍世王　行雨大臣　守門者

「讃弥陀仏偈和讃」を終って、更に「浄土和讃」と名づけて、「大経意」が始まります。ここから浄土和讃が始まるとも解せられますので、深くその意を探らねばなりません。

その中間に『観無量寿経』の登場尊者が列記されるのです。どうして「観経意」の前に置かれないか、と問いたいわけですが、浄土を知らしめるのに是非とも必要な聖者方であったからでしょうか。「観経意」のところで解明されるわけですが、阿闍世王・行雨大臣・守門者を誘惑した提婆は仏敵であるにかかわらず、これを尊者と呼んでいられるのは、強い感動をもよおすところで、この列名までが和讃の流れに参加します。

提婆が革命家気取りで「新王新仏治化せん、あに楽しからずや」と闍王をそそのかして、悪逆のふるまいをなさしめ、それによって母后韋提夫人が浄土を求め、その浄土の光によって聖人自身の業因縁の開放に遇うと見るのですから、ここに関わる人々は皆浄土よりのつかわされ者、すなわち尊ばねばならない人と仰ぐのです。このような許し難い悪逆でありつつ、この愛憎を超えしめるものが浄土であるわけです。

『観経疏』「序分義」において、提婆が神変を演ずるところで、「太子見おわりて左右に問う、いわく、これはこれ何人ぞ、左右太子に答えて言わく、これはこれ尊者提婆なり。太子聞きおわりて心に大いに歓喜す」と、提婆を尊者と呼ぶところが、聖人の脳裡に大きな影を投げたのでありましょうか。『浄土文類聚鈔』には、「達多・闍世、博く仁慈を施し、弥陀・釈迦深く素懐を顕わせり」とあって、尊者の仁慈として定着します。

# 浄土和讃　愚禿親鸞作

## 大経意　二十二首

*1*

尊者阿難座よりたち
世尊の威光を瞻仰（せんごう）し
生希有心（しょうけうしん）とおどろかし
未曽見（みぞうけん）とぞあやしみし

釈尊常随の弟子阿難尊者は、思わず自分の座席から立ち上りました。それは世尊の、いつもと違ったようなこうごうしいお姿を仰ぎ見たからです。このような感知力が阿難にはそなわっていました。めったにありえないとうとさだと心に驚き、いままでにこれほど尊いお姿に出会ったことがないと不思議の思いがしました。

本願が説かれるにつきまして、希有未曽有の威光があたりを圧し、阿難がとびあがらんばかりに、格別の大事があると直感したのです。快い躍動が響きます。

2

如来の光瑞希有にして
阿難はなはだこころよく
如是之義ととえりしに
出世の本意あらはせり

釈迦如来の光るお顔のめでたさは、めったに見られるものでなくて、阿難もつりこまれて爽快この上もなく、どうしたわけでこのような次第になったのでしょうか、と問いましたので、釈尊はどうしてこの世に生まれ出なければならなかったのか、その深い意のあるところを明らかにお説きになることになったのであります。何かあると感じたのは阿難の鋭さでありますし、自発の思いが湧きたちながらも、阿難と呼応して説き出されるゆえんは、響かんとするものを弟子をして打たしめられる、師弟一如の緊張を感じます。

3

大寂定に入りたまひ
如来の光顔たえにして
阿難の慧見をみそなはし
問斯慧義とほめたまふ

大寂定については、どうしてこの言葉を選んだかについて、力を一杯加えて「静かに静かにましますこと、ことに日頃に勝れましましたもうゆえは、ただ阿弥陀の名号を説きたまわんとて世に出でましますこと、ことに勝れ、めでたくましましますおんかたちなり」と左訓されます。御製作の和讃に、聖人御自身がえもいわれぬ感動を覚えていられます。弥陀の名号が説き出されるためには、天地も鳴りをしずめるような、大いなる静けさがここにあるのです。めでたさといえばこれに過ぎるものはありません。

静けさが釈尊をつつみこみ、釈尊は静かなること山のようで、その光り輝くお顔ばせは、平素にも仰ぎえないような妙色をたたえています。自らでさえわくわくするような、すぐれた心の光景を阿難はよくも読みとったものだなと、阿難の智慧のひらめきを御照覧遊ばされ、おまえはようこそ大いなるものの動こうとするその兆候をとらえるよい智慧をそなえていてくれたことであった、とおほめになりまして、阿難もこのめでたさの中に包まれました。大寂定は左訓にこまかく示されているように、大涅槃であり三昧の境です。「世に出でまします」とある通り、そこに入るのは入りきってしまうのではなく、出るためです。出たことが重大な意味を背負うことを示しているのが大寂定です。大寂定から出なければ、出世の本懐を遂げるとはいえないのです。一切に生気あらしめることが語られるから「静かに静かにましますことが」重いのです。

4　如来興世の本意には
　本願真実ひらきてぞ
　難値（なんち）難見とときたまひ

猶霊瑞華としめしける

釈迦如来がこの世に能力と使命を抱いて出でましたについては、その本懐、本来の御意向というものがありまして、それは如来の本願が真実であることを開顕したいということです。しかもそれが出会うことも容易でなく見聞することはとてもむずかしいことであるとお説きになり、丁度霊瑞華が三千年に一度花を開くめずらしさにうまく出会うようなことで、大変なことだとお示しになっています。

猶というのは、丁度何々のようだという意です。霊瑞華については「優曇樹の華を霊瑞華という。霊瑞華の時あって、時に今し出ずるが如し。優曇樹は実は常に生れども、花の咲くこと極めて稀なるによりて、仏の世に出でたもうこと、極めて稀にまします間、譬に引かれたり」との長い左訓を見ます。如来がいのちをこめてお説きになった本願真実を聞信して、その値遇をよろこぶのは、容易なことではなくて、うどんげの花開くのに出会ったほどの珍らしいことだと、譬えられるのであります。

これは誰にも遇えないと、不可能を示そうとするのではなく、むしろこちらからは不可能であっても、本願真実が向こうからはたらいて、こちらの眼が開かれたそのかたじけなさを、難値難見といってほめたたえたものなのです。難は、遇いたてまつり見たてまつった感動の深さの表現です。このようにして「有ること難し」の仏語も出て来たのですが、乱用されている中に、五欲の満足との区別が曖昧になって、初一念のみずみずしさはどこへやら消え失せて、やすっぽい日常底に落ちてしまったようです。今讃などを繰り返して難の威力を回復せねばなりません。

## 5

弥陀成仏のこのかたは
いまに十劫(じっこう)とときたれど
塵点久遠劫(じんでんくおんごう)よりも
ひさしき仏とみえたまふ(へ)

第三行の左訓は「一大三千界を墨にして、この墨を筆の先にちとつけて、国一つにちとつけ、国一つにちとつけて、つけ尽してかの国をみなちりにして、この塵の数を数え、つもりたるを塵点久遠劫というなり」とあって、きわめて長い時間が驚くほどの数量で示されます。「行文類」には、元照律師の『阿弥陀経義疏』の引用のところに、法蔵菩薩が衆生を済度しなければやまないとの大慈悲をいだかれたのは、塵点劫という長い時間であったと示し、空間的には三千大千世界の中において芥子粒(けしつぶ)ほどの極微(ごくみ)の一塵にも法蔵が身を捨てて慈悲を行じない場所とてはない、との感動深い一文を見ますが、時空の対比によって塵点劫が重さを増します。

阿弥陀仏が仏となられてから、と聞きますと、この身あるがゆえであったなとひしひし迫ります。仏となられてから今に至るまで、十劫という長い時がたっていると、経典に説かれているのは、この身の流転の救い難い長さというものも浮かびでます。

十劫と説かれているけれども、思えば更にもっと長い塵点久遠劫というよりも、なおもっと久しい以前に仏となりたもうたことを感知するにつけて、慈悲の深さが身に迫るのであります。

## 6

南无不可思議光仏
饒王仏のみもとにて
十方浄土のなかよりぞ
本願選択摂取する

「讃阿弥陀仏偈和讃」第四十七首に、弥陀如来の尊号の一つとして「南无不可思議光仏」があらわれますが、今のはまさしくそれです。だから「阿弥陀は」という主語に読んでよいのです。饒王仏は世饒王仏の略であり、世自在王仏とも訳されます。今は阿弥陀仏にてましますのですが、もと法蔵菩薩として饒王仏につかえて衆生往生の行を尋ねたとき、「汝自ら当に知るべし」とその甘えをはげしく叱咤され、万策尽きて「我が境界に非ず」と仏のまえに自己の非力を告白し、わが境界を超えた大道の開示を願うことになります。

饒王仏いますがゆえに、これをよりどころとして法蔵は志願を建て、その志願はひとりにては成就せず、饒王仏の応答によって浄土の門が開くのです。そこに十方を尽くして仏国土の種々相を示し、その中から法蔵菩薩は、選び捨て選び取って、弥陀の浄土へ救いとる本願を建立されたのです。選択摂取は「えらび、えらぶ、きらう。摂はことにえらびとるこころなり。取はきらいとるこころなり」と左訓されて、えらぶ意義が強く出ますが、選択も摂取も同じ意味をもち、選択された本願に摂取されると読みたいのです。選択本願は私をたすける本願です。本願があるから必ず摂取されます。光明遍照十方世界念仏衆生摂取不捨ですから、念仏の衆生のあるところ阿弥陀が阿弥陀となり、南无不可思議光仏と光るのです。

### 7

无㝵光仏のひかりには
清浄歓喜（かんぎ）智慧光
その徳不可思議にして
十方諸有（しょう）を利益せり

第一行の左訓「障ることなき光の如来なり。悪業煩悩に碍えられぬによりて无㝵と申すなり」には、ことに注目すべきです。煩悩の上に悪業と冠し、あるいは煩悩悪業と熟字するのは、聖人用語の特徴です。如来のはたらきをさまたげるから悪業です。煩悩からは離れられないと居坐るものではないのです。衆生の煩悩は如来のはたらきにとって大いなる障りとなりつつ、それによってゆがめられることなく、憎まず嫌わず煩悩の底まで如来の光が届くのです。衆生どうしにとっては、お互いの煩悩が反発しあうのです。煩悩が障りとなって衆生と衆生とを遠ざけます。おのれの煩悩には執意を抱き、他の煩悩には醜悪を感じるのが、衆生の救いなき状況です。

衆生の煩悩と如来の光とのかかわりを明らかにすべく、第二行に左訓されます。「貪欲（とんよく）の煩悩をたすけ、貪欲の罪を消さん料（りょう）にして、清浄と名づく、瞋恚（しんに）の煩悩をたすけん料に、歓喜と名づくるなり。愚痴の煩悩をたすけん料に智慧と名づく」。ここにあらわれる「料」の意味はどのように解したらよいのであろうか。ためとか、たねでは不充分であろうか。

貪欲の濁り多い罪業を破り、消し、たすけるために、清浄光ありというのです。すでにして清浄光あり、貪欲の多きに心を労するなかれというのです。このようにして瞋恚には歓喜光あり、愚痴には智慧光ありと、明るいたすけられた風光が示されます。无导光仏に三つの名があるのは、煩悩の三つとも強烈だからです。貪欲と瞋恚とは同時におこることはなく、又この二つとも愚痴すなわち无明を根底として引きおこされるという、縁りて起る関係になっているのです。

いかなる煩悩にもさえられない光の如来には清浄光歓喜光智慧光といううるわしい名と光がそなわっていて、それぞれに貪欲瞋恚愚痴の煩悩を消してしまうのです。このように如来にそなわった徳のはたらきは、われらのはかり知ることを超えていて、どれほどの長い迷いを続けた人であろうとも、目も及ばぬような片隅にあろうとも、如来の无导の光は必ず至り届くのです。

## 8

至心信楽欲生と
十方の諸有をすすめてぞ
不思議の誓願あらわして
真実報土の因とする

至心信楽欲生というのは、第十八の選択本願です。至心に信楽してわが国に生まれんと欲え、と読まれていますが、至心にというところが少し苦になります。至心にといえば衆生がということになりますから、むしろ至心をというべきです。それでは漢文の読み方としておかしいですから、にを入れないで至心信楽して、と読んでみたいと思います。至心は弥陀の本願の真実心ですから、この至心あればこそ信楽が可能となり、「衆生の信は弥陀の願よりおこる」といわれるゆえんがここにあります。誰に呼びかけられたのかといえば、ありとあらゆる長い迷いを経巡ってきた群生海に向かって、わが国に生まれようとおもえとすすめられたのであります。

諸有というのは、諸有衆生と熟するように、ただあらゆるの意味だけでも宜しいが、有というのを迷いの存在と解しています。ここに今あることが迷いの生き方となっているのです。迷うて生きていることはよくよくのことで、迷うその人には迷いということは見えず、如来の眼からあわれみの情をもって、汝迷いの尽きない者よと、すすめられているのです。

至心信楽欲生というような、わたしどもの思いはかりを超えた誓願を開示して、弥陀の心を信じうちまかす一つで、わが国という真実の浄土へ生まれるたねとされるのであります。報というのは、弥陀の願いに感応したということで、弥陀を離れて報土はありません。わたしどもの理想の国というような人間設定を超えております。理想は永遠に成就しないものですが、報土は、わたしどもが現実と誤認している現実らしきものよりは、現実そのものに立っているのです。

すなわち定聚(じょうじゅ)のかずにいる
不退のくらゐに住すれば
かならず滅度(めつど)にいたらしむ

真実信心は至心信楽です。真実は如来です。如来の心が至心です。衆生にもち得ないものが至心です。信心をうるという以上、衆生のものとなり、くわしくは衆生を破って、新しい衆生をなしとげるのですが、衆生の所有物ではなく、衆生の存在にかかわる如来の心です。如来の心のま衆生にはたらいているのです。わたしの信心というものはなく、信心のわたしといえば、信心の意味に近いでしょう。もはやわれ生きるにあらずして、如来われにあって生きるということです。如来が主となり、従来のわれは従となり客となって、自分の根城(ねじろ)を開けわたしたのです。しかも形はどこも変わるものではありません。

ただ大きな問題は、信心の人は正定聚のかずに入ったということです。邪定・不定ではないということです。邪定はとんでもないことにはまりこむ、不定はきめてもきまらない不安をおさえようとして、無理にきめて我を立てようとする。この二つに対して正定は、自分の方からきめこもうとするのでなく向こうから間違いなくおさまるようにきまる。信心の決定したときに、浄土往生のこともまさしくぴたりときまったというのです。「聚」はあつまりとか境位の意味ですが、もう一つはっきりしたものがでないのです。

浄土往生とは、一瞬のうちに成りあがるもので、そこに厚みや深さなどは入る余地のないような文字感覚は、退一歩せねばならぬようです。信心の定まった人は、即時に往生が定まるのであるから、往生という真実が生きるという、事実の転換なのです。往生に依りて立つ生き方です。「不退の位に住する」とは、大乗菩薩道の修行の段階において、初めて仏の領域に一歩を印したというか、菩提心の輪郭に触れて歓喜の境位に達したことで、このような境位が信心の人に与えられたという自信です。しかもこの不退の位が現生不退なのです。「即得往生住不退転」。往生が定まったから、不退転の境位を得たということです。即得往生は精神の領域ですから、人間の計らいでもって時などをきめる必要がないのです。即得往生にてたしかとなった一歩一歩を、不退の位に住するというのです。

このところを『一念多念文意』のところに見ることにします。「これを東宮のくらいにいるひとは、かならず王のくらいにつくがごとく、正定聚のくらいにつくは、東宮のくらいのごとし。王にのぼるは、即位という。これはすなわち、無上大涅槃にいたるをもうすなり。信心のひとは、正定聚にいたりて、かならず滅度にいたると、ちかいたまえるなり」と。このように現生正定必至滅度として、「かならず滅度にいたらしむ」と和讃されています。求めずして信心の人は涅槃のさとりを開くことに直結しているのです。

10 諸仏(弥陀)の大悲ふかければ
仏智の不思議をあらわして

変成男子(へんじょうなんし)の願をたて
女人成仏ちかひたり

弥陀の四十八願中、第三十五の願に女人救済の誓ってあるところです。諸仏世界に女人たるもの、わたしの名字を聞いて歓喜信楽し菩提心を発し、女人自らが女身であることをいといにくみ、いのち終って後、再び女像とならないようにしてあげたいとの誓いです。この願文の当面には、変成男子とか女人成仏とかの言葉は見えないのです。だから願文からこの和讃への変容をたどることは容易でありません。

諸仏の大悲は、「文明本」には弥陀の大悲とあって分かりよいのですが、この諸仏には「弥陀を諸仏と申す。過度人道のこころなり」と左訓されていますから、諸仏には自信があるようです。大経の異訳として聖人がご覧になった『仏説諸仏阿弥陀三耶(な)三仏薩楼仏檀過度人道経(さるぶだんかどにんどう)』に由来して着想されたということです。ここからどなたかが仏道を説くのは人道を説くのであると言われましたが、人間をして迷界より仏界へ過度せしめる道ということではないのでしょうか。

ここで大切なのは諸仏阿弥陀という言葉です。諸仏称名の願というのがありますように、諸仏は阿弥陀の名を称揚するがゆえに諸仏であることができるのです。諸仏があるから阿弥陀の名が生きるのですが、諸仏中の一員として阿弥陀はあるのではないのです。阿弥陀は諸仏ではないが、離れているわけでなく諸仏の体が阿弥陀なのですから、阿弥陀なくしては諸仏はありようがないのです。このようにたどってみて、諸仏のといっても弥陀のといっても、大悲には変わりはないわけです。大悲によって阿弥陀があり、そこから諸仏が生まれるといえます。

大悲の深さが底知れないから、不思議の仏智があらわしだされるというのは、貴重な次第というべきです。仏智であればこそ女人を男子に変え成すのです。智願のいたすところです。「善導讃」第三首「弥陀の名願によらざれば　百千万劫すぐれども　いつつのさわりはなれねば　女身をいかでか転ずべき」をあわせて読み、女人の救いは女身を転じて男子と成すことをとおす点をよく推求せねばなりません。『法華経』「提婆達多品（だいばだったほん）」の羅什訳の「変成男子」が強く刻印されていて、大経には見られないのに座を占めるのはよくよくのことがあると思わざるをえないのです。

この男子と女人とについて聖人の底意をうかがうことは、道がそれるでありましょうか。女人は、本願に目覚めないで、自立できない人を指すとみれば、多くのうなずきができます。男子は、本願に乗託して独歩する念仏者です。こうなれば、男子ときめていた人も、こそこそとその旗印を降します。「女人成仏」とは、女子に開けた堂々たる道となります。

*11*

至心発願欲生と
十方衆生を方便し
衆善の仮門（けもん）ひらきてぞ
現其人前（げんごにんぜん）と願じける

第一行には、この願名を列べて「十九の願この願をば現前導生（どうしょう）の願ということあり、臨終現前の願ともあり、来迎引接の願ともあり」と左訓されます。至心をもって願いをおこし、浄土に往生しようとおもえと、阿弥陀仏はひろくあらゆる衆生を導き入れようと手立てをかまえ、善を励み善を積む人のための仮りの門を開いて、臨終にはその人の前に現われて迎えとろうと、誓われたのです。

方便についての左訓「のり、かたどる。たより、すなわちと」は、ここでは適切でなく、疑問をもちます。真実なればこそ方便となって動き出すもので、方便をもたなければ、死せる真実です。方便にとどまらしめず、必ず真実へかえらしめます。

## 12

臨終現前の願により
釈迦は諸善をことごとく
観経一部にあらわして
定散諸機をすすめけり

臨終に来迎して精励して善を積んだ者の前に現われて、浄土へ引き導きたいとの願いを根底として、釈迦は『観無量寿経』一巻の中に、行い得る善をすべて説きあらわして、定善の機、散善の機をして、浄土往生せしめようとすすめられたのです。

法然上人は「一声もわが名をとなえむものをむかえむという御ちかいにてあれば」(『西方指南抄』)と、来迎を必然のこととして強調されます。「弥陀の本願うたがわずして、念仏申さん人は、臨終わるきことはおおかた候まじきなり」「ただの時によくよく申しおきたる念仏によりて、臨終にかならず仏来迎したまう」などは実に貴重ですが、更に聖人の「臨終待つことなし、来迎たのむことなし」は、法然の真意を徹底したものと仰がれます。

定善は十三観として説かれ、息慮凝心(そくりょぎょうしん)、おもいはかることを休息し、心を静かにして一点にこらし、そのような静境にあって仏道にふさわしい善を行ずることです。散善は、衆生の機類を九種に分けて九品として説かれまして、廃悪修善とて悪を拒否して善にいそしむことですが、散乱の心はどうしようもないのです。この定善散善は、品質力量に応じてやってみればみるほど、果し得ない焦燥にさいなまれることになるのです。これを見越してたてられた願、如来の深い心からの方便なのです。

## 13

諸善万行ことごとく
至心発願せるゆへに
往生浄土の方便の
善とならぬはなかりけり

阿弥陀如来は、至心発願欲生とありとあらゆる善人や行人をすすめたもう誓いをおこされたのです。それによって、諸善万行ことごとく往生浄土のための仮のてだてとしての善とならずにはおかないのです。この方便の語は、すでに第十一首にも用いられ、次の第十四首にもあらわれます。方便は重要であることを知りつつ、方便にとどまってはならないということです。誘引の功を謝し、善巧方便のおかげを蒙りつつ、真実を見失ってはなりません。真実を知らしめるための方便です。仮りに設けられた方便をたどることによって、真実へ引き入れられてゆきます。

## 14

至心廻向欲生と
　十方衆生を方便し
　名号の真門ひらきてぞ
　不果遂者（ふかすいしゃ）と願じける

至心に念仏をふりむけて往生したいと願えという第二十願をたてて、弥陀はあらゆる衆生をよく導いて、名号を称えよというまことの教えを開示して果遂の願を樹立されたのであります。不果遂者とは、衆生の救いを果たし遂げ、完了しなければやまぬとのきっぱりした誓願です。方便の真門を開いたのは、その真門を出離せしめようためであったと、聖人は「果遂の誓、良（まこと）に由（ゆえ）あるかな」と深い感動をもって謝念を捧げられます。折角弥陀より名号を与えられながら、それを自己のものとし、自己より出たものと思い誤るという遺憾がつきまとうわけです。

「本願の嘉号（かごう）をもっておのれの善根とする」とのお言葉を聞くとき、そのすごさに全身がふるえます。微妙にしてつかみようもないものが、言葉となって現われでたものです。純粋な信心自身の批判力によらねばこのような表現は生まれようがありません。自力の執心の根強さが読めてくると同時に、果遂の願がどうしても誓われねばならなかった、その働きをよくあらわして、「信心の人におとらじと　疑心自力の行者も　如来大悲の恩をしり　称名念仏はげむべし」（「仏智疑惑讃」）との安堵の世界も開けてきます。方便に甘えますと、方便の背後に動いている真実を見失ってしまいます。

15　果遂の願によりてこそ
釈迦は善本徳本(ぜんぽんとくほん)を
弥陀経にあらわして
一乗の機をすすめける

遂に果たし遂げなければおかぬという果遂の誓願があればこそ、それを本としてそれをあらわそうとして釈迦は弥陀の因位の善本や果位の徳本を、名号の中に摂めこんで、これを阿弥陀経の中に説きあらわし、誓願一仏乗に乗託して報土往生をとげるように、すすめられたのです。左訓には「一乗機とは報土に生ぜしめん」、顕智本には「成就せしめん」とありますが、もう一句欲しいところです。念仏行者は誓願一仏乗の機たらしめられた、ということでしょうか。

阿弥陀経は、名号を説くための経だというのです。善本も徳本もそれが露出しているのではなくして、名号の中に摂在し、名号になりきっているところがかなめです。

16　定散自力の称名は
　果遂のちかひに帰してこそ
　おしえざれども自然に
　真如の門に転入する

心を散らさず、あるいは散る心のままで、つとめはげむ称名念仏は、そのような念仏者をも救いとらねばやまぬという誓願に帰入するならば、ことさら手を取って教えなくても、称名そのもののひとりでの歩みとして、法性真如のさとりを開く身と移り転じてゆきます。自力の念仏も、弥陀の果遂のはたらきに動かされて本願他力念仏に転入しなければおさまらないというのです。

「おしえざれども」と「自然に」とはどのように結びつくのであるか、はっきりしたいと思うて、第十九首の「おしふることもまたかたし」とも較べてみるのですが、それは無理というものでしょうか、残された問題の一つです。

17　安楽浄土をねがひつつ
　他力の信をえぬひとは
　仏智不思議をうたがひて
　辺地懈慢（へんじけまん）にとまるなり

安楽浄土に生まれたいと願う心を折角にもおこしてはいても、本願真実の信心を得ることのできない人は、往生がかなわないのです。それはどうしてかといえば、わたしたちのおもんぱかりに超えすぐれた仏智にうなずくことができないで、人間の深い底から出る疑惑性を離れられないからによるのです。それだから真実の浄土ではなくして、浄土の中でも辺鄙な地であったり、懈慢界であったりするのです。

第四行の左訓を掲げます。「疑惑胎生を辺地という。これは五百歳を経て報土にはまいるなり。諸行往生の人は懈慢に堕つ。これらは億千万の時まれに一人報土へは進むなり。」これは「正像末法和讃」に至って「仏智疑惑罪過」二十二首までも繰返し詠われるところです。「顕智書写本」の首数によって、その二三首を掲げて、照らし合わせてみます。第一首「不了仏智のしるしには

如来の諸智を疑惑して　罪福信じ善本を　たのめば辺地にとまるなり」、第三首「仏智疑惑の罪により　懈慢辺地にとまるなり　疑惑の罪のふかきゆへ　年歳劫数をふるととく」、第六首「仏智の不思議をうたがひて　善本徳本たのむ人　辺地懈慢にむまるれば　大慈大悲はえざりけり」、これだけを選んでみましても、仏智を了解できないでかえってそれを疑う罪過のどれほど痛ましいかに、深く心が注がれていることが知られます。

辺地というのは、浄土の中の辺鄙なところの意味ですが、広大無辺の浄土にあって、その公開性が見えないで、私の城をつくってしまうのです。折角念仏する身になっても、念仏よりも私の心の方が大きい顔して念仏を私の目的のために用いますと、境遇は疑城胎宮にとどまってしまうのです。仏智不思議を信ずることができないと、閉鎖性になってしまって、三宝を見聞すること

ができません。真実報土に目覚めるまでには、五百歳というような長年月を要します。

懈慢界とは、諸行往生の人はここに堕ちるといいますが、聖人にとってよく言い得た言葉と思われていたようです。懈怠と憍慢とは最も救い難いもので、もとは無明から来ます。懈怠は、精進に対するもので、いそいそとしたやる気の喪失です。そのように罪せられているのです。人間存在が無明に覆われているならば、我欲による励みはどれほどあろうとも、結局は生存在について怠慢であったというむなしい過し方として終るのです。人生によく生きたつもりで、仏道には怠慢であったという恐ろしさです。少しでもよい結果をもたらそうとして、諸善万行を励みつつ、堕在したところが懈慢界であったとは、やりきれないことです。ここから真実報土へ進むのは、容易のことではありません。

憍慢は、おごりと高ぶりです。我性にまといつかれた者にとっては、この我慢勝他は自己否定の時がありません。善行さえも慢心の自己のかざりとなります。慢心を根底として善行がなされたとき、善行の内実は崩れてゆきます。教義のあやつりも、それが勝他となっているときは、懈慢界に堕ちています。念仏さえ慢心を温存したまま称えることができます。我慢の破れゆく念仏が、逆に我慢の一角としてそびえるとは、何としたことでしょう。信仰のヒュブリス（傲慢）といわれますように、柔軟に、うやうやしく、つつしみ深くあらわれるはずの信仰が、われ信仰を持ちたり、誰か敵する者あらんと、最もあらわな傲慢さを見せるのが、懈慢界の具体相でありましょうか。

18 如来の興世あひがたく
諸仏の経道ききがたし
菩薩の勝法（しょうぼう）きくことも
无量劫にもまれらなり

如来が法を説くためにこの世に現われたもうのに、その時に生まれあわせて値うことは容易でなく、諸仏の教説を聞く縁に値うこともなかなかむずかしいことです。菩薩の修行法たる六波羅蜜、布施・持戒・忍辱・精進・禅定・智慧にめぐり値い聞くことも、幾代かけようともまれなことなのです。

ただ今のところは『大経』流通文にありまして、この直前に「当来の世に経道滅尽せんに、我慈悲哀愍をもって特に（こと）この経を留めて止住すること百歳せん。それ衆生ありてこの経に値う者は、意の所願に随いてみな得度すべし」とあり、この教説への感激のような形で、難値難見難聞と説かれるところの讃詠です。

19 善知識にあふことも
おしふることもまたかたし
よくきくこともかたければ
(信)行ずることもな(を)ほかたし

前の第十八首に続いての経文に「善知識に遇い、法を聞きて能く行ずること、これまた難しとす」とあるところの讃詠です。見る通りここには「教える」は出ていないのですが、この経文の後に「このゆえに我が法、かくのごとく作し、かくのごとく説き、かくのごとく教う」とあることの「教う」が用いられたものでありましょうか。これによりまして教えるのは善知識であることが知られます。

念仏の信心は私をして間違いなく浄土へ往かしめる善知識にめぐり会わねばならないが、その善知識に遇うことは容易なことではなく、更にその善知識から真に教化されることは言い知れぬむずかしさがあるのです。その善知識の教えをよく聞くことはなかなかの困難で、更に聞いたたまうなずいて念仏するのは至難のわざというべきです。

この「行ずる」は、文明本では「信ずる」となっていますが、思考の変遷とみますか、どちらも生かしたいとの思召しにて多分あるのでしょう。これを照らし出す一例は、「正像末法和讃」第三十首「顕智書写本」では「功徳は信者ぞたまわれる」とあるところ、「文明本」では「功徳は行者の身にみてり」と変わります。「国宝本」第六番目には「功徳は信者のみにみてり」とありまして、この三者の対比は妙趣をそそります。行者も信者もどちらを言ってもよいというものではなく、しかも信者をはなれて行者なく、行者をはなれて信者のないことがうなずかれます。どちらの表現であっても、これを濁らすことなく純化しないと、その尊貴性をくもらせます。

以上のようにこの和讃第二行の「おしふる」は善知識が教えてその教えを奉行する流れとなっ

ていると受け止めるのですが、その一つの根拠は前の第十八首第二行の左訓「よろずの仏の教えにも値い難しとなり」にも依りたいところです。ところが誰人も苦心をされる問題点なのか、「善知識が人を得て法を教えること」との理解を示された方もあります。善知識はひとりそれとしてどこかに在るのでなく、善知識を求める人を得てはじめて善知識となって教えるのだが、啐啄同時に教える人と教えられる人とがうなずきあえるのは、容易なことではないというのです。二十九歳のとき吉水の庵室を訪ねて、南无阿弥陀仏によって本願海に帰入した事実を難しというのは、自己以外は不可能だというのでなく、如来のはたらきに目覚めて、遇うべきものに遇うことのできた深い感動を述べたものです。遇えた人にしてはじめて難しと言い得るのです。聖人からみれば、法然は教える立場、それに対して自分はどこまでも聞く立場を貫かれたと思います。法然に遇うたことによって、『大無量寿経』を教えとして身に体することができた、という知恩の感情なるものです。

それでは「自信教人信」は一体どうであるのか、との反論もあると思います。『往生礼讃』のこの言葉を『教行証文類』に二度も引用されているが、どのような思いをこめていられるのでありましょうか。「自ら信じ人を教えて信ぜしむ」と読むのが普通のようであるが、真宗の教えを聞く者として、どうもしっくりしないのです。わたしの頭が下がったから汝も頭を下げよと押えるわけにはいきません。「自ら信ずるとき人をして信ぜしむる」と読めないのでしょうか。如来の信を自らのうえに生きる人がここにあり、その信を見る隣人はこころを動かされていく、と解したいのです。わたしのうえにおこった信はわたしを超えているのです。信が信を呼びさましていくのです。これは尊いことであり、希有なことです。これを「おしふることもまたかたし」の中から感得します。今ここに「人をして信ぜしむる」事実が起こったから希有甚難とほめているのです。

20　一代諸教の信よりも
　　弘願の信楽なほかたし
　　難中之難とときたまひ
　　无過此難（むかしなん）とのべたまふ

釈尊の四十五年の教化の一つ一つを信ずるよりも、弥陀の本願弘誓の信心の人となることは、もっとむずかしいのです。だから釈尊は、本願を信ずることは難の中でも一番の難であり、これ以上の難はほかにはないと説かれたのです。

　最初の二行は、たやすく読めたようでありながら、力点のあざやかにならないところです。釈尊の教説に触れようとする人は、うたがってかかるということはないはずです。教説の内容が真理にかなっているから、信ぜずにおれないわけですが、その時の信は自分で自分の方からおこすものです。しかしこれに対して本願の信は、如来の方からの廻向の信であるから、これに目覚めるのが容易でないのです。道が閉ざされているから、難であるというのでなく、その難が超えられて賜わった信心を慶喜する時、難信金剛の信楽といって、自己の信心を讃嘆するのです。これは大変であった、よくも超えたるものかな、とのかたじけなさが「難中之難」「无過此難」となっているのです。

「信文類」はじめの「しかるに常没の凡愚・流転の群生、無上妙果の成じがたきにあらず、真実の信楽実に獲ること難し。何をもってのゆえに。いまし如来の加威力に由るがゆえなり。博く大悲広慧の力に因るがゆえなり」を心読して、如来の加威力・大悲広慧力の重さを仰ぎ、「弘願の信楽なほかたし」のところに純粋結晶をみるここちがします。信楽の構造の広大さを語る至極の表現だと思います。信心を難信というのは、大悲の幾世かけてのうながしに頭の下った懺悔(さんげ)なのです。難信こそ信心を射当てた表現です。

## 21

念仏成仏これ真宗
万行諸善これ仮門
権実真仮(ごんじつしんけ)をわかずして
自然の浄土をえぞしらぬ

念仏往生の願があるによって、念仏一つで往生の身となり仏とならしめられる教えこそまことのすじみちであり、諸善万行を励んで仏になりたいと願うのは、衆生の体質をよくみて誘引しようとする、かりにもうけたてだてであるのです。ここで真宗とか仮門とかいうのは、よい響きを与えます。真宗というのは、真実が花開いた一本道をたたえているのです。

第三行に移って、権実と真仮とは真実と権仮との対比であって、方便の善と真実の誓願とのちがいをはっきりとわきまえないから、こちらのつくりなせる方便仮門にこだわって、おのずからそのようにならしめられている浄土を知らないのです。「自然の浄土」は聖人の到達された世界、これだと安堵されたところのようだが、輪郭はどのようにえがいておられたのか、究竟するところまで推求すべき問題です。『法事讃』の「自然はすなわちこれ弥陀の国」などが、つねに聖人の存念の中に去来していたものでしょう。

ほんものとかりのものとの分判にうなずいたとき、「自然の浄土」が明るく見えてくるというのです。「行者のよからんともあしからんともおもわぬを自然とは申すぞと聞きて候」との名文を口ずさむとき、善悪の執意が解けきって、道光明朗超絶の世界に、はからいなきわが身を見い出します。さとりぼけに落ち入らしめないのが、最高の表現たる自然の浄土です。主観的現前の事実を超えた真実在として、静かに微光を放っています。それが現在であるとか未来であるとかの執意を否定しこれを包んで帰入せしめずにはおかないとおのずからしからしめてある自然の浄土であるわけなのです。「えぞしらぬ」は、皆がよう知らないのを、もどかしく感じられたものでありましょう。

もとに戻って「念仏成仏これ真宗」は、『入出二門偈頌』にも「善導和尚義解して曰わく、念仏成仏する是れ真宗なり」とあらわれ、「善導和讃」第二十一首には「信は願より生ずれば　念

仏成仏自然なり　自然はすなはち報土なり　証大涅槃うたがはず」と、考えあわせるべきすじがあります。この念仏成仏自然と自然の浄土とがかかわります。

「散善義」に「真宗遇い叵し、浄土の要逢い難し」と述べられて、「真宗」は全く善導を受けられたようでありますが、聖人が「行文類」に引用された、法照の『五会法事讃』の第二偈「正法楽讃」に「念仏成仏是真宗」「念仏三昧是真宗」とあって、いよいよ真宗という表現に感銘の度を深められたのでありましょうか。道元が、仏法は只管打坐のところにありと堂々の道を進んだとき、禅宗という狭い限定をいみきらったように、聖人も救済と自証の最高示現と受けとめたものが、後に宗名の限定用語になるなど、はからざることであったろうと想像します。

「善導和讃」第九首には「経道滅尽ときいたり　如来出世の本意なる　本願真宗にあひぬれば凡夫念じてさとるなり」とあり、この第三行には「まことをむねとす。仮に対して真という。八万四千の法門は仮門とす。浄土一宗を真門とす」と左訓されます。真宗とは、如来真実をかなめとするのです。第一とし、主とし、はじめとするのです。そのまま本願をむねとすることです。本願によって真宗に遇うことができるのです。浄土宗のただ一つが真実に入るの門です。だから浄土真宗です。生死の海に流されている凡夫が南无阿弥陀仏を称えて、本願の海に目覚めて浮かぶ、これが本願真宗の出来事です。

## 22　聖道権仮の方便に

衆生ひさしくとどまりて
諸有に流転のみとぞなる
悲願の一乗帰命せよ

自力の心をむねとする聖道門の、かりにしつらえたてだての教えに、衆生が長い間かかずらって、六道の迷界にさすらい流される流転の身となっていることは、黙視するにしのびないのです。弥陀大悲の誓願一仏乗にまっしぐらに帰命せよ、と呼びかけずにはおれません。

奇しくも「大経意和讃」が「帰命せよ」で終っていますが、さきの「讃阿弥陀仏偈和讃」を一貫するものが「帰命せよ」であったのを顧みて、一層南无帰命によって阿弥陀仏もその浄土も開顕されることを知ります。「帰命せよ」と聞いて「帰命する」と持ちかえるのでなく、「帰命せよ」の生きた声のそのまま手を加えずに信受奉行するのです。帰命するのは、そこに身をおき、それになりきっておるのですから、それを生きた形で表現すれば、「帰命せよ」というほかないのです。帰命しているものに聞こえる声なのです。

本願真宗こそ真実であって、自力聖道は方便に過ぎないとの断定は、自力不毛がよく見えたからです。「正像末法和讃」第十五首「自力聖道の菩提心　こころもことばもおよばれず　常没流転の凡愚は　いかでか発起せしむべき」、第五十四首「聖道門の人はみな　自力の心をむねとせり　他力不思議にいりぬれば　義なきを義とすと信知せり」とあるをあわせ詠むとき、自力の追放のはげしさがいよいよ響きます。

# 観経意　九首

## 1

恩徳広大釈迦如来
韋提夫人に勅してぞ
光台現国のそのなかに
安楽世界をえらばしむ

釈迦が自己存立の外にある超出した人なのではなく、自己の生存性をあらしめている恩徳広大なる人として具現しています。いや、人ではなく如来です。仏です。韋提夫人は、はからざる事態に困惑し道を失っている人です。しかも他によらず、釈尊にすがりついたのは、平素国王と共に聞法していたゆえんもあったからですが、同時に釈尊の方でも時節到来と、これを見通して一歩ふみ出した急迫は、手に汗にぎるものを感じます。釈尊の放たれた光明が金台となって多くの国が現出し、その中から夫人に勅命して、阿弥陀仏の呼びたもう安楽世界を選ばしめたのです。

選んだのは韋提であるけれども、すでに機縁も熟し、そのようにせしめたのは釈尊の意思が動いていたということです。この点は、『教行証文類』「序」に「しかればすなわち、浄邦縁熟して、調達、闍世をして逆害を興ぜしむ。浄業機彰れて、釈迦、韋提をして安養を選ばしめたまえり」と、含蓄ゆたかな名文をもって述べられるように、悲劇の業縁が転ぜられて、浄信の暁が訪れることになるわけです。凡夫を代表し先頭に立って、韋提は安養浄土への道を歩む人となったのです。韋提を狼狽せしめた悪役たちも、韋提を浄業の機たらしめる使徒であったと聖人は仰いでゆかれます。

## 2

頻婆沙羅王勅せしめ
宿因その期をまたずして
仙人殺害のむくひには
七重のむろにとぢられき

王舎城の悲劇の因縁をたどって、占師より仙人のいのちが終ると同時に一子をさずかると聞いた頻婆沙羅王は、仙人のいただいてきた定命の終るを待つことができないで、家来をして仙人を殺害せしめ、それによって一子をさずけられたのではあったが、仙人のうらみは消えることなく、その一子阿闍世は未だ生まれざるさきに親を怨んで出生する子、未生怨という名が示すように、非道のことをなしたるうらみのむくいのまま、わが子の手にかかって、七重に囲まれた岩牢に閉じこめられてしまったというのです。

『観経』にはいきなり「幽閉して七重の室の内に置く」と出ますが、仙人殺害のことは『涅槃経』文と組み合わされたものです。王は幽閉されつつも、仏弟子目連や富楼那の説法を聞いていたので、環境の憂えを超えて顔色和悦であったとは、経典の叙述の高雅を感じます。仏法の品格ゆるぎないものです。阿闍世が守門者に「父王は、まだおいでか」と尋ねるあたり、逆悪にしてなお父の威光を怖れているのです。守門者より、王妃が食物をかくして運び、仏弟子の説法のあることを聞いて、激怒することになります。そこから次の第三首に移ります。

3

阿闍世王は瞋怒して
我母是賊としめしてぞ
无道にははを害せんと
つるぎをぬきてむかひける

阿闍世は、悪王のいのちをながらえさすわが母に腹を立てて、わが母は全くかたきではないかと、人間の道を破って母を殺害しようと、利剣を抜いて立ち向かったのです。

「観経意」は僅かに九首しかないのに、どうしてこのようなすさまじい状況を、経典のえがく実景のままうつしとられたのでありましょうか。詠わずにおれないほど、聖人を強くつきあげるものがあったにちがいないので、深く読まねばなりませんが、讃歌としてはまさしく異様です。しかもまたここが大きな特徴となります。韋提をして安養を選ばしめるに至るためには、剣までが重要因子になることとの掘り下げでありましょうか。

## 4

耆婆月光ねむごろに
是旃陀羅とはぢしめて
不宜住此と奏してぞ
闍王の逆心いさめける

耆婆と月光との二大臣は、闍王のこの悪逆無道のすさまじさを目前にみて、させてはならじと誠心誠意とどめようとしました。母后を剣にかけるなんてそんなことをなさるならば、王位から転落し、人間であることを失うような恥ずかしいことですぞ、もはやこの王宮に住する資格はありませんと申しあげて、闍王の人倫の大義にさからう、あるまじき心をいさめました。

月光は経に「時に一の臣あり、名をば月光という。聡明にして多智なり」と説かれます。この大臣、危急を救うべく耆婆と力をあわせたのです。耆婆は王城の忠臣として身を挺して貴重な役割を果たしたのです。王城の恩義にむくいるべく身を捧げていた仏法者で、他の大臣たちの道理を曲げた追従の慰めにふらふらする闍王を、かげとなり日なたとなって見護りつつ、いよいよ追いつめられて懺悔の念を起こす闍王の状況をよく見てとって、涅槃に入らずに待ちたもう釈尊のみもとへ誘導し、見仏の功徳あらわれ「無根の信」と叫ばしめた功績は、信獲得の宿縁の厚さに思いいたります。無根の信とは根拠なくして賜わったとの懺悔です。

耆婆のこのような身を捨てての仕えまつる精神的境位に誘導されて、闍王が悪逆の懺悔による入信の過程については『涅槃経』にわくわくするような迫力で説かれますが、聖人はそれをもってわが信心の廻向表現として頂戴されたのです。『観経』では、王舎城の悲劇の発端は闍王の悪逆によりまして、被害者の韋提がわが身の救いを釈尊に訴え、それに応答して浄土に往生する道が説かれるのでして、闍王の名はいつしかに陰にかくれていきます。しかし聖人は自身の内省面上に闍王の存在が離れず、この罪業深重の加害者の落ちゆく先を追い求めずにおれなかったのです。そこには「唯除五逆誹謗正法」との大悲の眼が光っていたということです。『観経』は韋提のために発起された仏説ではあるけれども、闍王を除外した韋提ひとりの救済は成り立ちえないことを読み取り、「観経讃」では韋提よりもむしろ無道の闍王が主題となり、浄土よりの光の中でわが宿業を知らしめる権化の仁と尊仰せられることになります。

「旃陀羅」は、人は誰しもそうあってはならないのに、如来に背くがゆえにそこに落ちてしまうという宗教的自己内省の叫び、無慚無愧のこの身という、自身と闍王との一体感と受けとめられたようで、如来の光の中の哀愍の情が流れているのです。他を自己より下に見る考えは、聖人にはありようがないところです。

「不宜住此」については、耆婆や月光の方からして、そのような無道をあえてなさるならば、このような王城にとどまることをいさぎよしとしません、退去します、という解釈もあります。いずれにせよ悪逆に対する激しい抵抗です。

旃陀羅について重ねて触れますが、『観経』にあるままとはいうものの、聖人以後のこの表現についての不行届の受け止めを見るにつけ、骨の砕ける痛恨を覚えます。虚像を離れて平等の大地にひれ伏さねばなりません。ことに「底下の凡愚」「煩悩の底に沈めるわれら」とまで内観を徹底せしめられた祖聖をなげかしめることがあっては、この身が腐ります。賢明そうに見える弁解よりも愚かにたちかえって大地に涙することです。さかしく顧みるのは見苦しいものです。不本意ながらもひとを傷つけていたことを知らされたときは、根源的に「小慈小悲もなき身」「無慚無愧のこの身」を、この我れに響かせるばかりです。

**5**

耆婆大臣おさえてぞ
却行而退せしめつつ
闍王つるぎをすてしめて
韋提をみやに禁じける

却行而退については、はじめは「抱きかかへて、だだっと後退して母后より離れしめた」と解していたが、だんだん分かりにくくなってきたので、経文を引きます。「時に二の大臣、この語を説き竟りて、手をもって剣を按えて、却行して退く。時に阿闍世、驚怖し惶懼して、耆婆に告げて言わく、「汝、我がためにせざらんや」と。耆婆、白して言さく、「大王、慎みて母を害することなかれ」と。王この語を聞きて、懺悔して救けんことを求む。すなわち剣を捨てて、止りて母を害せず。内官に勅語し、深宮に閉置して、また出ださしめず」とあるところです。「却行して退いた」のは誰であるのか。どちらであっても、登場人物がどのように動いたのかについて、経文では分かりかねるのです。それで読む方の構成がはたらくわけです。

左訓は、しりぞきさらしむ、しりぞきゆかしめき、さりゆかしめてしりぞかす、との三様が見られますが、これによれば阿闍世が母后を離れて後退したと読めます。抜いている剣をおさえるとはどうすることでしょうか。このあたり経文と和讃とは少しのちがいがありそうです。

耆婆大臣は、阿闍世の剣をおさえこんで、母后に迫ろうとするのを逆に後にしりぞかしめたというのが、和讃の当面です。そこで阿闍世はやむなく剣を捨てて、母后を害することを思い止り、その代り宮殿の奥深いところに閉じこめて、一歩も出られないようにしました。耆婆の気魄に呑まれて阿闍世が剣まで捨てしめられた、この実況を讃詠されたのは、第二の親殺しの未然に防がれた清涼を痛感していられたからによるものでしょうか。

耆婆と月光とが自らの剣をおさえ、威圧して退いたとの説もあります。

6　弥陀釈迦方便して
阿難目連富楼那（ふるな）韋提
達多（だった）闍王頻婆娑羅
耆婆月光行雨等（がっこうぎょううとう）或本雨行

方便というのは、一如真実の根本の智慧が清浄世間智となって人間に到達し、これに人間が誘われ近づき、人間はそれを道とし、たよりとして、真実に至らしめられることです。真実でなければ方便の手はさしのべられず、方便がなければ真実の力もあるといえません。『観経』の登場人物たる阿難・目連・富楼那・韋提・提婆達多・阿闍世・頻婆沙羅王・耆婆・月光・行雨等は、阿弥陀如来と釈迦如来とが、一切衆生に浄土の救いのあることを知らしめようとして、ドラマの方便を用いたというのです。すでに仏になりたもうた仏菩薩が、かりにさまざまの形をあらわして、すすめたもうたのだというのです。「浄邦縁熟して調達闍世をして逆害を興ぜしむ。浄業機彰れて釈迦韋提をして安養を選ばしめたまえり」と述べられるところです。逆害までが、自己の救済と自証にとっての権方便だというのです。権方便なればこそ、「剣を抜きて」などが讃歌となるのです。ご苦労をおかけしたと、悲劇をおがみます。

行雨は『涅槃経』に見えます。『観経』にはなくとも平然として名を列ねますのは、両方のお経が一体となって一つの問題を提供しているからです。

7

大聖おのおのもろともに
凡愚底下のつみびとを
逆悪もらさぬ誓願に
方便引入せしめけり

これらの聖者方は、それぞれの役割を背負って緊密な演出を遂げて、凡夫愚者であり底の底なる罪人を弥陀の誓願―それは五逆十悪である者をも、いやそれゆえにこそ救いとげようという誓願にうまく誘引することができたのです。提婆も阿闍世も誓願を知らしめるための大聖であったのです。これだけの演出がなければ誓願に引入されないのです。

第二行の「凡愚」の左訓が「おおよそ」「ただうど」となっているのは、左訓について疑点を感じる箇所の一つです。およそ人たるものは皆ただ人でないものはない、とも考えてみます。底下の左訓「われらは大海の底に沈めるとなり」は、実体験がこめられているようで、「愛欲の広海に沈没し」を想起します。沈没という姿で凡愚をとらえているのは、なみならぬ宗教心の構成です。「末法和讃」第十四首「底下の凡愚」には「煩悩の底に沈める凡夫というなり」と左訓されて、いよいよ底の意味がはっきり出まして、凡夫が煩悩をおこすというよりは、煩悩によって凡夫があるとの洞察が言い尽くされています。

逆悪は、そのままに阿闍世を指すともみられますが、五逆十悪と左訓されます。五逆は、人間であることとの道を失い反逆することで、一父を殺す、二母を殺す、三阿羅漢（煩悩を断じた真人）を殺す、四仏身より血をいだす、五和合僧（仏を主導者と仰ぐ教団僧伽は和合することを本来性とする）を破壊するの五つが数えられます。第十八願の「唯除五逆」の厳しい宣告は、はからいなく受けとめて、その大苦悩から願意の低音に耳を傾けつつ、聞こえる声を聞きとらねばならないのです。

十悪は、一殺生、殺生罪にもっとおののくことです。二偸盗（ちゅうとう）、人の学説や卓見や精神まで盗まねばならぬとは恐ろしいことです。三邪淫、性の意味はあまりにも微妙であって、つかみ得ない暗黒面がいつまでも残ります。四妄語、真理にかなっていない言葉。その場は真実らしくみえても、無明から出る言葉は人を迷わせるから妄語です。五綺語、かざり言葉、心にもないことという。へつらいおべっかなど。六悪口、卑しく下劣な言葉。人の心情を傷害する。七両舌、表裏口、二枚舌。人間の体質の弱さです。八貪欲、ものほしさは対象が変わってもいつまでもやまぬということですが、着目したいのは「善導讃」第八首の「貪瞋二河の譬喩」の左訓に「貪は女を愛し男を愛し」とあることです。愛することを離れては男も女もないわけですが、その愛がうまくいかないということです。邪淫とかみあわせて問題をはらんでいるわけです。物質欲を制するよりはもっと複雑です。九瞋恚、いかりはらだち。怒とか憤とか忿とかの文字のあるところをみれば、はらだちの形相がいろいろあるあかしです。闍王の逆害も、このいかりを制し得なかったところから出ています。十愚痴、くらい心。愚痴を言うとは派生的使用ともいうべきで、本質をみたいと思います。本当のことの分かっていない、無明ということです。貪欲も瞋恚も無明から生起するのです。しかも貪のあるときには瞋は舞台裏に退き、瞋のあるときには貪は影をひそめます。煩悩にはおのずからなる秩序があります。

　この十悪を悉く書き記して聖人が所持していられた痕跡の見えることは、驚くべき事実です。機の深信の厚さが示されます。師が愚痴十悪の法然房と仰せられたことであるから、弟子たる自分もその使命に準じて十悪を名告り、私とは何か、それは十悪だ、との自己認識であったと感じます。

『観経』は韋提が哀求して救済を求め、浄土へ往生する道が説かれるのであるが、被害者韋提に対する加害者阿闍世はいつしかに消え去っていきます。これは捨ておけないと、大悲に追われるように闍王の廻心を追求していったのが聖人です。加害者もそれをただ憎むだけで事を終らせては、大悲に背くとの着想です。これが『涅槃経』の中に闍王の堂々たる廻心懺悔として見い出されたのです。「信文類」の中に長い引用の続くゆえんです。

だから「観経意和讃」でありつつも、『涅槃経』によって再構成されて讃詠された底意がよく見えます。ただ今の「逆悪もらさぬ」には、阿闍世との一体感とともに彼の廻心への悲喜こもごもいたる心情が、明瞭に打ち出されております。「方便引入」の方便には厚い謝念がこめられ、わが身のためであったとの至情が言外にこめられております。

8　釈迦韋提方便して
　浄土の機縁熟すれば
　行雨大臣証（しょう）として
　闍王逆害興ぜしむ

わかりにくいところもあるので、「総序」の文を引いて、これと照らし合わすことによって聖人の感受をうかがいたいと思います。

浄邦縁熟して、調達、闍世をして逆害を興ぜしむ。浄業機彰われて、釈迦、韋提をして安養を選ばしめたまえり。

これはどういうことであるかといえば、弥陀の意をよくくみとった釈迦が、今まで浄土のあることを知らしめて機縁をとらえることができなかったが、時節到来を読みとった。調達（提婆達多）が阿闍世をそそのかして親殺しの逆害をおこさしめた。この時阿闍世の母韋提が釈尊に泣きついた。時を待っていた浄土が今こそ説かれねばならない。王舎城の悲劇の全体が、真実顕現のための、さしのべられたおん手であったとの感受なのです。

この「総序」の調子にしたがって、今の和讃をみましょう。釈迦は浄土を知らしめる時機純熟したと読みとって、韋提に救いのてだてを構えたのです。そのわけは闍王が行雨（雨行ともいう）大臣を証人とたのんで、自己の出生時に両親が亡きものにしようとはかった事実を知り、ついに親殺しの大罪を犯すに至り、そのために韋提が立つところを失ったのです。釈尊はその機会をよくとらえて光を蒙らしめたのです。誰かが一つの目的をもって悲劇をおこさしめたとみるのではなく、たまたま深い因縁の結ばれによって牽き起こされた逆害の事件を、世間の出来事として見流すのでなく、浄土開眼のために課せられた苦悩なのだと見て、転ぜられた眼から光の中に浮かぶ悲劇がいかにもあわれに映っているのです。最も遭いたくない出来事が転機となって、浄土の光にゆあみするとは、方便の不可思議に圧倒されます。転回の機がなければ、ただ苦悩ばかりでむなしく流れていきます。満たされる心は、ふと与えられるものではないのです。

9

定散諸機各別の
　自力の三心ひるがへし
　如来利他の信心に
　　通入せむとねがふべし

心の統一のとれた人の念仏も、散る心のままの人の念仏も、それがわれの力から出たものである以上、その内容やはたらきはいろいろちがっていて、そこから出る三心―至誠心（人間の誠意ある心）、深心（浅い心でない深い心）、廻向発願心（自分の善根を捧げて浄土を願う心）によってでは、真実報土への往生はとてもおぼつかないから、この自力による三心をひるがえして、如来が衆生を利益しようとする本願の信心に帰入しようと願うようになりなさいというのです。

この三心を具備しなければ浄土に往生できないとある経文のままに実践した善導は、ついにその不可能に逢着し、本願の三心（三信）―至心・信楽・欲生によって道を開くということになります。もと「至心信楽して我国に生まれんと欲え」という経文には三の数字は出ないのであるが、観経の三心―一者至誠心・二者深心・三者廻向発願心に照らして、本願に三心ありとしたものです。

利他は、如来にあるもので、自利とともにあるものです。自利が同時に利他なのです。他とは衆生です。衆生が如来の内容ですから、他といっても外他的なものではないわけです。衆生からいえば、他から利せらるる他利というべきです。衆生自身にも、如来を離れて自利利他があるように見えるけれども、自利と利他とが円満しないことによって、その不成就を知ります。如来の自利利他は円満成就しますが、衆生の自利と利他とは背き合って、どちらも徹底しません。衆生の自利が自身を救わないことにおいて自己崩壊し、これをひるがえすほかなく、利他の力をもつ如来に帰入して、はじめて利とは何かが分かってくるのです。

如来は、自利が「如」として成就しております。それは同時に「来」として衆生に来ます。その利他行が如来です。衆生にとっては他力です。衆生が信ずることによって他力があるのでなく、他力がそのまま信心なのです。他力を生きたものとして、わが身の上に躍動せしめるものが信心です。自分のはたらきのすべてを尽くしても力及ばず、はるかに超えたかなたからここに来たって、自己を充実せしめるのが信心です。この信心が立って舞うのが和讃なのですが、どうして後を継ぐ人びとに、和讃の真似さえできないのでありましょうか。

# 弥陀経意　五首

1

十方微塵（みじん）世界の
念仏の衆生をみそなはし
摂取してすてざれば
阿弥陀となづけたてまつる

念仏する衆生であるならば、ありとあらゆる世界のどこに埋もれていようとも、それをよく照覧して、おさめとってすてることがないから、阿弥陀と呼んでその仏をたたえるのです。

この一首は不思議なところで、もちろん『弥陀経』には「舎利弗、彼の仏の光明無量にして十方の国を照らすに障碍するところ無し。是の故に号して阿弥陀と為す」とあるのをうたったように見えるけれども、実は『観経』の「光明遍照十方世界、念仏衆生摂取不捨」の文の方が近く、更に善導の『往生礼讃』の「唯念仏の衆生を観（みそなわ）し、摂取して捨てざるが故に阿弥陀と名づく」に、ぴたりと依っていられる点によくよく心を注ぎたいと思います。これは「観経意」と両方にまたがるところで、是非ともうたいあげずにおれなかった一首と見ます。阿弥陀の名を実に成立せしめるには、念仏の衆生がなければならぬというかねあいです。

摂取の左訓は、先の「大経意」第六首にも見えますが、ここはここまでよく表現のできたものかと驚嘆を禁じ得ないところです。「おさめ、とる。ひとたびとりて長く捨てぬなり。摂はものの逃ぐるを追わえ取るなり。摂はおさめとる、取は迎えとる」。ものは衆生です。衆生自身は逃げているとの感知のもちようはないが、如来からみれば背き逃げているそのありようがあわれなのです。逃げるから追わないのでなしに、逃げるから追っかけて、ついにだきしめるのです。追っかけてゆこうでなしに追わえ取ったところです。どこまでも唯除の機の自覚をはらんでいます。

## 2

恒沙塵数(ごうじゃじんじゅ)の如来は
万行の少善きらいつつ
名号不思議の信心を
ひとしくひとえ(へ)にすすめたり(しむ)

ガンジス河の沙の数ほど多く、更に塵の数ほど多くの諸仏は、自力による諸善万行は少善にすぎないときらいすてると同時に、これはこれはと驚嘆するばかりの、名号のはたらきより賜わる信心を、誰にもひとしなみに心をもっぱらにしてすすめられるのです。

恒沙数は、次の第三首にもかかわって大事ですので、経文を掲げます。

恒河沙数の諸仏ましまして、おのおのその国にして、広長(じょう)の舌相(ぜつそう)を出だして、遍(あまね)く三千大千世界に覆(おお)いて、誠実の言を説きたもう。汝等衆生、当にこの不可思議の功徳を称讃する一切諸仏に護念せらるる経を信ずべし。

東西南北上下の六方世界よりする称讃ですから、この同様の文言が反復されて、波の打ち寄せるがように護念の力が増幅していきます。この六方は、新訳の大家玄奘の阿弥陀経異訳『称讃浄土仏摂受経』―無量寿仏極楽世界を称揚讃嘆する諸仏によりて摂受護念せられる経―には十方とあらわれるので、六方にこだわる要はないのです。次の第三首には「十方恒沙の諸仏は」とうたわれて、旧羅什訳と新訳とが一経典と見られているところなど実に妙味があります。

旧訳の娑婆国土が、新訳にては雑染堪忍（ぞうぜんかんにん）世界となり、これが聖人にあって雑染堪忍の群萌として、どれほど感銘深い用語となっていったか、はかり知れない所です。そして更に「諸経意弥陀仏和讃」の第三首が、全く新訳に依ることはことに留意すべきです。

万行の少善は、経文に「舎利弗、少善根福徳の因縁をもって、彼の国に生まるることを得べからず」とあって、多善根多福徳と比較にもならないことを言いたいのです。すでに無量無辺の功徳が成就されているのですから。

3　十方恒沙の諸仏は
極難信（ごくなんしん）ののりをとき
五濁悪世のためにとて
証成（しょうじょう）（誠）護念せしめたり

釈迦と諸仏とのすじみちを見い出すために、経文を掲げます。

舎利弗、我がいま諸仏の不可思議の功徳を称讃するごとく、かの諸仏等も、また、我が不可思議の功徳を称説して、この言を作さく、「釈迦牟尼仏、能く甚難希有の事を為して、能く娑婆国土の五濁悪世、劫濁・見濁・煩悩濁・衆生濁・命濁の中にして、阿耨多羅三藐三菩提(あのくたらさんみゃくさんぼだい)を得て、もろもろの衆生のために、この一切世間に信じ難き法を説きたまう」と。

これを何度も拝読して和讃に聞きましょう。釈迦が、五濁悪世の世間人としてはその信力をはるかに超えているような、めったにない難信の法（悪人のたすかる救済の声）を説かれたと、十方のありとあらゆる諸仏が、まことだまことだと誠実の言葉で証明に立ち、難信の法を聞いた人をあらゆる障害から護り、おもい続けられます。

この護念は『護念経』とも呼ばれるように、重い意味をもつものであるが、苦しい時の神だのみ式の非実存的なものでなく、信心の人念仏の人をこそ護念すというのです。念仏の人は、人間がどれほど弱いものかということをよく知っているのです。「そのまま」という言葉のまま、それに随順して生きてゆけるのは、護念の力があればこそなのです。

このよにて真実信心の人をまほらせたまへばこそ、『阿弥陀経』には、十方恒沙の諸仏護念すとは申すことにて候へ。安楽浄土へ往生してのちはまもりたまふと申すことにては候はず。娑婆世界いたるほど護念すと申すことなり。（聖人全集真蹟書簡六）

顕智上人が聖人のお骨を袋に入れて「おまほり」と記したのは、おまもりとして所持していたということを聞いています。護念を感じる心の深さを汲みたいものです。

4

諸仏の護念証成(誠)は
悲願成就のゆへなれば
金剛心をえむ(ん)ひとは
弥陀の大恩報ずべし

「成」の下に「誠か」と別筆が加えられているが、証誠と二度言偏が続くので配字の上の考慮で、誤字というものではないと指示されます。第三首も同様と見るべきです。

護念証成が、第三首と較べて前後しているが、これは何度も頌歌してみると、この順序であることが音調にかなうことを知ります。しかし一つの問題点となっております。

十方の諸仏が信心の人を護念し、弥陀の救いの間違いのないことの証明者として立たれたのは、諸仏称名の大悲の願が完全に成し就げられたからによります。それだから金剛堅固の信心を得る人は、このように悲願成就下さった弥陀の大恩に報いずにおれないところです。

金剛心は善導の信心の生きた表現で、左訓にも「破れず、ただれず、穿(う)げず」とあって、信心は何がぶち当ろうとも破壊されることはなく、内部からただれ腐敗することはなく、外からいかなる力をもってしてもつらぬき通すことはできないというのです。『唯信鈔文意』にも「選択不思議の本願、无上智慧の尊号を聞きて、一念も疑うこころなきを真実信心というなり。金剛心とも名づく」と明らかに示されます。

## 5　五濁悪時悪世界

濁悪邪見の衆生には
弥陀の名号あたえて(へ)ぞ
恒沙(ごうじゃ)の(諸仏)信心すすめたる

わざわざ典拠のように思えるところを示さなくてもよいのだが、この一首の生まれる感懐をたどるために、善導の「観経散善義」を引用します。

弥陀経の中に説かく、十方におのおの恒河沙等の諸仏ましまして、同じく釈迦を讃めたもう。能く五濁悪時悪世界悪衆生、悪見悪煩悩悪邪無信の盛なる時において、弥陀の名号を指讃し衆生を勧励して、称念せしむれば必ず往生を得る、すなわちその証なり。

「散善義」のこのあたりには「十方諸仏悉く皆同じく讃め同じく勧め同じく証したもう」について、赤々と燃える道理が尽くされます。

時は末法悪時、機は五濁、悪色をもってぬりつぶされたこの世界、濁悪邪見でしかありようのない人々のためには、いやそのためにこそ弥陀の名号を与えるひとすじの道を通して、恒沙の信心をすすめたのです。すすめがすでに恒沙の諸仏のすすめであるから、信もまた恒沙の信であり、それゆえにこそ甚難希有のことといわれるところです。

恒沙の信心は、大心海とか信心海とかに交流するものも感じられるし、「文明本」にあっては「恒沙の諸仏」と変更されているのは、両方が生かしあっている選びだとおもいます。

第二首には「恒沙塵数の如来」、第三首には「十方恒沙の諸仏」、第四首には「諸仏護念証誠」と詠われたのは、一貫して大きいこと広いこと、紫雲が湧いて流れ流れて明光を放つように、廻向の信はひとりのものでなく、みんなのものだということです。わたしを小さいものにしている小我が破れて、数知れぬ諸仏のオーケストラの中に参入しているのです。「恒沙の信」ですから、わが胸にちぢこまる小さな信心ではないのです。『教行証』「信文類」の一つをみても「如来、苦悩の群生海を悲憐して、无导広大の浄信をもって、諸有海に回施したまえり、是を利他真実の信心と名づく」という無限開放がすすめられます。

# 諸経意(のこころ)弥陀仏和讃　九首

1　无明の大夜(だいや)をあわれみて
法身(ほっしん)の光輪きわもなく
无㝵光仏としめしてぞ
安養界に影現(ようげん)する

第一行には「煩悩の王を无明というなり。大きなる闇の夜」と、第二行には「ひかり、めぐる。法身はすべて心も言葉も及ばぬなり。虚空に満ちたまえり」との左訓を見ます。

「諸経意」というのであるから、何経かに依られたものであろうが、残念ながらこれだというのが見つからないのです。「影現」という言葉に着目して、善導の『往生礼讃』の「弥陀の身心法界に偏し。衆生の心想中に影現せり」を掲げてみましょう。この影現によって和讃とのつながりを一つ求めることができるのでないかと考えます。

「顕智書写本」には「影の如くに現わるるなり」との左訓を見ますが、弥陀は光の仏であり、それが衆生の心想のうえには影のように現われるというのです。影というからといって、第二義的な、付属的なものを意味するのでなく、形として現わしてみようのないものの形を現わし出そうとして、影現というのです。安養浄土も無导光仏も影現しているのだと見える眼が、衆生の心想に開かれたのです。形がなければ手掛りがないのですが、形があればその形にとらわれて、真実在を見失います。影といっても、夢・幻・響・電・影と列べて在るかと思えどまたたく間に消えていく具象ではなくして、影現の影は深い存在と沈黙の告白と詩とをたたえているのです。

永遠に暁の来そうにない、大いなる闇の夜に、そこに在りとも知らず惰眠をむさぼっているものどもを、弥陀仏はあわれをもよおして救わねばならないと、われらの心も言葉も及ぶ所でないさとりのおん身の全体が光となって虚空に満ち、光の輪となってはてしなく、「无导光仏」というい かなる煩悩をもそれを転じて救いの資糧とするという光の仏の名を示して、そこにわれらがやすらぐことのできる安養浄土を開いて、影をおとすように現われたもうのです。

2

久遠実成阿弥陀仏
　五濁の凡愚をあわれみて
釈迦牟尼仏としめしてぞ
　迦邪（耶）城には応現する

第四行には「浄飯大王（釈迦の父）のわたらせたまいしところを迦邪城というなり」との左訓を見ます。「文明本」にあっては「迦耶城」となります。仏陀伽耶とて釈尊が始めて正覚を成じられたところです。「がやじよう」とよむのが自然のようですが。

「顕智書写本」には第一行に「昔よりまことに阿弥陀となりたまえるなり」との左訓を見ます。この一首は多く『法華経』に依るといわれるけれども、全体の流れがここから出ているといえる根拠は見えないようです。『妙法蓮華経』化城喩品(けじょうゆほん)第七には「世尊甚だ希有なり、久遠に乃ち一たび現わる」「衆生の父と為りて、哀愍饒益(にょうやく)する者」と。如来寿量品第十六には「今釈迦牟尼仏、釈氏の宮を出でて、伽耶城を去ること遠からずして道場に坐して、阿耨多羅三藐三菩提(あのくたらさんみゃくさんぼだい)を得たり。然るに善男子、我実に成仏已来、無量無辺百千万億那由他劫なり」と。このあたりまではたどることができるけれども、阿弥陀仏と釈迦との緊密な紐帯(ちゅうたい)となると、ここには見つかる因縁もなさそうで、ただ聖人の感受性による創見なのでありましょうか。

久しくはるかな遠い遠いいにしえに、実際に仏と成っていられる阿弥陀仏は、凡夫愚者たる五濁悪世のわれわれを哀れにおぼしめされ、釈迦牟尼仏という形を示して迦耶城に出現されたのです。応現とは、仏や菩薩が衆生の機類に応じて、さまざまの身形を示現されることです。

このような浄土の風光はいかがでしょうか。陽光うららかな一日、阿弥陀仏と釈迦牟尼仏が池辺に散策された。弥陀がわたしの頼みを聞いてほしいと呼びかけた。五濁悪世の人々にこのわたしがいることを知らせるために、あなたがわたしの使いとなって、地上へ出かけていただきたい。それは難事業ですが、ほかならぬ弥陀仏のお頼みとあらば、ことわるわけにもまいりますまい。思し召しに添うて参りましょう。そうですか、行って下さるか。御苦労をおかけしますな。容易なことでは耳を傾けないでしょうが、ねばりにねばって、よい方策を立てて下さいよ。阿弥陀がなければ釈迦は出ない。釈迦が出なければ、阿弥陀は誰にも分からずじまいであった。使命を帯びた釈迦の決意の強さが知れるというものである。かくて二仏にはさわやかな微笑が交わされたことでありました。

応現について感応道交というのがあって、衆生の心が求道の方向へ感じ動くものがあるならば、仏がこれを汲んでこれに応じて来臨来現し、仏と衆生との間に交通交流が成し就げられるという、生きた端的を示す用語となっております。仏と衆生とが離れてあるのでなく、感あれば応ありとの機動的なかかわりを示しています。

3　百千倶胝劫(の)をへて
　百千倶胝のしたをいだし
　したごと无量のこえをして
　弥陀をほめむになほ(を)つきじ

「讃阿弥陀仏偈和讃」に先き立って、「称讃浄土経に言く　玄奘三蔵の訳なり」として、たとい百千倶胝那由多劫を経て、其れ无量百千倶胝那由多の舌を以て、一一の舌の上に无量の声を出だして其の功徳を讃めむに、亦尽くること能わじと。文

このように掲げられているのです。「文明本」にはありません。阿弥陀仏の功徳を「称讃」「讃嘆」することが、ここに由来するとの発想のようです。しかも羅什訳の正依についての異訳であ

るために、「弥陀経意」に編入しないで「諸経意」を飾ることになったようです。

経文のままを和讃されたもので、倶胝には「万億を倶胝という。倶胝というは天笠のことばなり」との左訓を見ます。原語の発音のままであることの意を汲みたいものです。

たとえ百千万億という数えきれない長い時間をうちこんで、百千万億の仏が各自に舌を出して、一つの口舌ごとにはかり知れない声をあげて、弥陀をほめようとしてもその功徳をほめ尽すことはできるものではないというのです。

4 大聖易往とときたまふ
浄土をうたがふ衆生おば
無眼人とぞなづけたる
無耳人とぞのべたまふ

第三行には「まなこなき人と名づく。目連所聞経の文なり。観念法門に引かれたり」との左訓を見ます。これはおこりそうもない錯誤であって、『観念法門』ではなく道綽の『安楽集』に『目連所聞経』の文「無量寿仏国は、往き易く取り易くして、人修行して往生すること能わず。反って九十五種の邪道に事う。我この人を説きて眼無き人と名づく。耳無き人と名づく」とあるのに依るのです。安楽集によって和讃が出来ているといえるほど安楽集の影響は大きいのです。「龍樹和讃」でも安楽集引用の文言を通していられるところなど、まさしく自証即伝承の重さが見えます。

大聖釈尊は、無量寿仏のみ国たる浄土は往生し易い所であり、その行も修し易いと説かれます。それにも拘わらず九十五種の邪道につかえて、浄土を信じようとしない人々に対しては、真に見るべきものを見る眼をもたない人と名づけ、また真に聞くべきものを聞かない人であるとのべていられます。これは求道者の自覚用語であって、外容でないこともとよりです。

この無眼人については、煩悩に眼を障えられて摂取の光明を見ないというきびしさに想到します。無耳人については、如来の呼び声を聞くとはいうが、それは我執の耳でもってわが耳に都合よく、耳にあわせて聞くに過ぎないので、如来の声のままに聞くについての耳は欠けているということになるのです。如来の声が真に聞こえるためには、耳までも如来から与えられねばなりません。自力の聞き方を温存しておいては、我執の変形をこれが信心だと思い誤ってしまいます。この「無耳人」は、求道者の根源に迫る一針として、胆に銘じたい所です。

5

无上上は真解脱
真解脱は如来なり
真解脱にいたるにぞ
无愛无疑とはあらはるる

第一行の左訓は「法身を無上上ともいい、真解脱ともいう」と見え、第四行には「よくもなくうたがいもなきことあらわるとなり」と見えます。解脱は、自己を束縛するものから解放され脱落したさとりです。涅槃と同一内容と見られるときもあります。

この一首は「真仏土文類」に『大般涅槃経』巻第五より引用された所が明瞭に出ておりますので、ここに掲げます。

又解脱は无上上と名づく乃至。无上上は即ち真解脱なり。真解脱は即ち是れ如来なり乃至。若し阿耨多羅三藐三菩提を成ることを得おわりて无愛无疑なり。无愛无疑は即ち真解脱なり。真解脱は即ち是れ如来なり乃至。如来は即ち是れ涅槃なり。涅槃は即ち是れ无尽なり。无尽は即ち是れ仏性なり。

この感興に動かされて和讃となったところですから、経典を離れずして如来が立って舞う音調が実にあざやかです。このようなたたみかけを非常に愛されたことを知ります。

上のなおその上もないような法身は、ゆるぎのない完全な解放脱落であって、この真の解脱が如来なのです。この真解脱に至るときこそ、もはや欲愛からも離脱し、疑心などの余地のない心境が開けるのです。すでに望むものもなく、真相がはっきり見えるのです。これは浄土に往生してのさとりです。「浄土にて」というところに宗教的意味を汲まねばなりません。

6　平等心をうるときを
一子地（いっしじ）となづけたり

一子地は仏性なり
　安養にいたりてさとるべし

第一行には「法身の心をうるときとなり」との左訓を見ます。この一首も『涅槃経』ですから、この経より「法身は即ち是れ常楽我浄。永く一切の生老病死を離る。常住不動にして変易あることなし」を添えておきます。第二行には「三界の衆生を我が一人子とおもうことをうるを一子地というなり」との左訓を見ます。この一子地のところを、『大般涅槃経』巻第三十より掲げましょう。この引用のところは第八首の第三・四行の典拠ともなります。

大信心は即ち是れ仏性なり。仏性即ち是れ如来。仏性は一子地と名づく。何を以っての故に。一子地の因縁を以っての故に。菩薩は則ち一切衆生において平等心を得る。一切衆生必ず定んで一子地を得べきが故に。是の故に説いて一切衆生悉有仏性と言う。一子地は即ち是れ仏性。仏性は即ち是れ如来。

法身となって、一切衆生においてへだてる心のない平等の慈悲心のはたらいた時、三界の衆生をわが一人子として愛する心境が開けるが、これを一子地と名づけるのです。この一子地は一切衆生悉有仏性なるもので、これは安養浄土に往生してのち、そこにおいて開けるさとりなのです。

7　如来すなわち涅槃なり
　涅槃を仏性となづけたり

凡地（ぼんじ）にしてはさとられず
安養にいたりて証すべし

第五首のところで引用した『涅槃経』文が、この第一行第二行にそのままうたわれます。第三行第四行は、前の第六首と同じように、この経意も信心によって必ず実現されるとの知見を述べられたものです。凡地について「凡夫の居所」と左訓されるように、凡夫にあってはどうかということが中心になります。

「顕智書写本」にあっては長い左訓が出ます。「如来と申すはすなわち涅槃と申すみことなり。涅槃と申すはすなわちまことの法身と申す仏性なり。知るべし、この凡夫はこの世界にしてさとらず候えば、他力をたのみまいらせて安楽浄土にしてさとるべしとなり」と。如来と涅槃と仏性とのつながりを明らかにしようとする深意がよく見えます。これを高嶺の花と眺めるのでなく、凡夫のさとりの内容たらしめたい、しかも決定的に「この凡夫はこの世界にしてさとらず候」と、凡夫の徹見といたわりの上に立ち、「三界の道に勝過した彼の世界」にこそ実現の場のあることを、確信をもって示したのです。命終るならば多分そのような世界が開けると思います、というような夢のこの世界に続くまたの夢を悟っているのではありません。これがはぐらかしに聞こえる間は、「安養にいたりて」の表現にこちらの宗教体験がまだ及ばないということです。

如来と申しているのは、ほかでもなく形のあらわしようもない涅槃を指します。涅槃は煩悩の火が清風に吹き消された静かな状態です。その涅槃はそのまま仏性ともいわれます。「法身と申す仏性」の法身とは、「諸経意」の第一首の法身の左訓「虚空に満ちたまえり」とのように、全法界を身とするというのです。一切衆生悉有仏性とはこれであり、「溪声便ち是れ広長舌、山色清浄身に非ざること無し」とまで燃えていけるのですが、凡夫の境界ではこれを深く内に包んで、安養浄土にいたることによって、必至滅度、きっとさとることができるというのです。つつしみ深く奥床しく、凡夫の座を逸脱しません。安養にいたりて証することを思考の圏外に棚あげして、通りぬけたようにとりなすのは、涅槃とか仏性とかいう本当に息づいているものを、宙に浮かすことになります。「安養にいたりて」は、無生の生であることを思惟せねばなりません。

『涅槃経』に「真実と言うは即ち是れ如来。如来は即ち是れ真実。真実は即ち是れ仏性。仏性は即ち是れ真実」とあるところなどを、聖人はよく凝視して、真実がはたらいてどういう形をあらわすのかを、その糸を懸命にたぐられたと思います。

8　歓喜(かんぎ)信心無疑者をば
　　与諸如来等ととく
　　大信心は仏性なり
　　仏性すなわち如来なり

最初の二行は「文明本」には「信心よろこぶそのひとを如来とひとしとときたまふ」とやさしくなります。『大方広仏華厳経』「入法界品」最後の偈頌に「阿弥陀、観世音菩薩」とか、「如来一音をもって説き、各所応に随って解す」とかあって、一番終りに「此の法を聞きて歓喜し信心疑無き者、速やかに無上道を成じ諸の如来と等し」とあるより出ているのです。「聞其名号信心歓喜」の座をもって華厳経を読んでいるのですから、「この法を聞きて」というのも所応にしたがって本願名号となっているのです。「信心の人は如来に等しい」という根本主張を、そのよるべとして華厳経に求められたのは、この経が正覚成就の最初説法の威力に輝き、同時に大乗仏教の高峰として涅槃経と並ぶものであるによります。それだから涅槃経によって如来の讃歌が数首続いているところへ、にわかに華厳経のまたたきを見ますのは、大乗の全景を尽くすためです。

歓喜信心は信心をよろこぶことですが、むしろ歓喜はそのまま信心なのです。二つあるのではなく信心の内実が歓喜です。信心を表現するならば無疑と歓喜としてあるといわねばなりませんが、ともに人間性のどこかから生みだされたものではありません。自力は疑心としてしかありようがなく、煩悩もまた堪能するほどのよろこびを与えますから、その混同をよく警戒して信心の歓喜には白紙で向かわねばなりません。人の生きる条件が不本意にゆがめられようとも、信心のよろこびはそれによってたじろぐものではないのです。

第三行には「われらが弥陀の本願他力を信じたるを大信心という。无上菩提に至るを大信というなり」との左訓を見ます。菩提心のかけらもないわれらには、たすかる力は自分自身にはありませんから、救いは他力として彼方から来ます。如来の本願だけが他力のはたらきをもちます。信心が成就したことが、本願他力なのです。さきの第六首のときに掲げた『涅槃経』文のままにこのようにうたわれるのですが、この第八首の主題は信心が如来だというのですが、これは同時に救うものは弥陀、救われるものは衆生、この二者には絶対の隔絶のあることを離れてはいけないのです。しかもこの救いも大乗の軌道の上を走ります。

如来の心がはじめてわれにとどいたよろこびは、そこにうたがいのはいる余地もなく、この信心はもろもろの如来と等しいのだと説かれます。无导広大の信心は、悉有仏性の仏性そのものであり、その仏性はそのまま如来であって、すべての存在を真実であらしめようとするはたらきなのです。『涅槃経』には「真実は如来、如来は真実、真実は仏性、仏性は真実」と縦横に説かれて、今の和讃にも力を与えます。

## 9

衆生有礙(うげ)のさとりにて
无导の仏智をうたがへば
曽婆羅頻陀羅(そうはらひんだら)地獄にて
多劫衆苦にしづむなり

『安楽集』上に「一切万法、皆自力他力自摂他摂有りて、千開万閉無量無辺なり。汝豈(あ)に有碍の識を以って彼の無碍の法を疑うことを得んや」と述べられているところが、この最初の二行に当り、何経ということは示されていないのです。仏法というものは仏の智慧より流出し、衆生の多様性に応じて千変万化するのであるから、有碍の知識によりかかって無碍の智慧を疑うことは成り立たないというのです。無碍というのは、どのような障害が起こっても、それによって乱されないこと、有碍は自分の煩悩あるいは他人の煩悩に惑乱されて清心静心を保ちえないことをいいます。前の二行より後の二行へ移るその流れの典拠はきわめかねます。

第三行には「無間地獄の衆生を見てはあら楽しげやと見るなり。仏法を謗りたる者、この地獄に落ちて八万劫住す。大苦悩を受く」との左訓を見ます。無間地獄でさえ堪忍しえない苦処であるのに、遙かにあそこならばまだまだ忍べる、いかにも楽しげだとは、面白い地獄苦の表現です。「仏法を謗りたるもの、地獄に落ちる」とは、ゆらぐことのない根本法則ですから、唯除の機としての誹謗正法者について、「罪の重きを知らしめて皆漏れず」とは大悲の徹窮としての大転換であるわけです。正法とは念仏ですから「正像末法和讃」第四十一首に同工のうたい方を見ます。

「念仏誹謗の有情は　阿鼻地獄に堕在して　八万劫中大苦悩　ひまなくうくとぞときたまふ」。

衆生の智慧は、少しの障りでも狂ってしまう生ざとりであって、障りを知らない仏の智慧にうなずかず疑っているというと、そうはら、ひんだら地獄に落ちて永劫の苦悩に沈まねばならぬというのです。衆生の智慧は分別智として限定をもち、仏智は無分別智であるゆえに障碍されないのです。分別の力の優れた者も劣った者も実際の上に描いた分別によって迷います。

およそ衆生というのは衆多の生死あるもの、流転に流転を続けている実存を仏が名づけたのです。多くの人びとという無内容な呼称ではありません。迷情をもった者との意味で、新訳は有情といい「末法讃」ではこれを用います。衆生といい有情といい、大悲はこれらの迷いの深さを知らしめて覚存たらしめずにはおかぬというのです。「善導讃」第二十一首「信は願より生ずれば」の左訓に「われら衆生の信は弥陀の願より起こるなり」とありますところ、恰も和讃のそれのようにリズムをもって響きますが、衆生と弥陀仏との生き生きした緊張関係はこのようにしてあるのです。わたしは念仏するとか、わたしは信心をえたいとかいっても、衆生であり有情であり、更には凡夫であることの座がはっきりしないことには、弥陀仏に遇えるはずもないのです。

どこまでも生滅に流れる衆生に、無生無滅の法を与えて、生死の沈淪より救わねばならぬというのが、弥陀の大悲の願です。「業は貧寒にして薄いもの」（曇鸞）であるにかかわらず、あるいはそれゆえにか、疑いそしるこころだけは持ちあわせている。自分でこしらえたさとりでもって疑いそしれば地獄に堕ちる。これをどうしても堕としめてはならぬとするのが悲願です。この世の生をわがままにむさぼっているものが軽々にさとった顔して地獄など口にのせるべきではありません。地獄はよく耐えるところではないのです。

# 現世利益和讃　十五首

のりやくの　やわらげほめ（左訓）

**1**

阿弥陀如来来化して
息災延命のためにとて
金光明の寿量品
ときおきたまへるみのりなり

第三行の左訓は「四巻の経なり。これを最勝経というなり。十巻なり」と見えます。更に上欄に「東方薬師、南方華開、西方無量寿仏、北方釈迦の説きたもう」との書き込みがあります。「文明本」には「この寿量品は弥陀の説きたまえるなり」とあって、無量寿の弥陀如来の眼で読んでおられます。

唐義浄訳『金光明最勝王経』十巻の「如来寿量品第二」をみますと、「蓮花の上に四如来が有って、東方には不動、南方には実相、西方には無量寿、北方には天鼓音（てんく）、この四如来が大光明を放つとき、もし身に具せざるは皆具足を蒙り、盲者は能く視、聾者は聞くことを得、瘂者は能く言い、愚者は智を得、もし心乱るる者は本心を得、もし衣無き者は衣服を得、にくみ賤められる者は人に敬われ、垢穢有る者は身が清潔となる。この世間においてあらゆる利益、いまだかってあったためしのないことが悉く皆顕現する」とか、「あらゆる海の水のその一滴一滴の数まで知ることができようとも、釈迦の寿量を数え知ることはできない」とか、「釈迦牟尼如来、今金光明経の甚深の法要を演説して、一切衆生を饒益せんと欲するがために、飢饉(ききん)を除去して安楽を得しむべし」とか、「流転に処せず、涅槃に住せず」とか、更に続いて「分別三身品第三」には「金光明王微妙経典を講説せば、疾病を離れて寿命延長」とあり、「滅業障品第五」まですすめば、「もし女人有りて、女身を転じて男子とならんと願わば、亦随喜の功徳を修習して必ず心に随って現に男子となるべし」の経文を、「善導讃」第三首「弥陀の名願によらざれば　百千万劫すぐれども　いつつのさはりはなれねば　女身をいかでか転ずべき」と対比することを通して、以上の『金光明経』が阿弥陀如来の来化によって具現すると受けとめられたと考えます。護国の経典として国家安泰の祈りに受用されていたものを阿弥陀の世界に包み込んで、念仏の信心によって経文の事実を立証することができるという大胆な主張となっているのです。

『金光明経』の寿量品に、人々の蒙るさまざまの災難をおこらないようにし、いのちを長からしめるすじみちをお説きになっているのであるが、このようなことが事実となってあらわれるのは、無量寿にてましますが阿弥陀如来があわれみの心をもって、この土に来現してこそによるものです。弥陀の救いが浄土を目ざすものでありつつ、現世を放棄するものでなく、仏の慈悲にかのうた本当の利益を与えるものであることを知れというのです。

この「現益讃」においては、第五首より第十首までこの経に依るところをみれば、前の「諸経意弥陀仏和讃」の一連の構成を思います。ひもといてゆくと余りにも日を射る所が多く、そのような点まで和讃してほしかったと、望蜀の嘆きさえもよおします。ほんの一つを引きますと「此の金光懺悔の因縁を以って、我が悪海および業海、煩悩の大海、悉く竭くして余り無からしめん。我が功徳海、願くば悉く成就し、智慧の大海、清浄具足」など、聖人の視点が見えるようです。この経の引用は訳者の異りを含めてその全体に及びますので概観しましょう。

『金光明経』四巻、曇無讖訳。『合部金光明経』八巻、宝貴等訳。『金光明最勝王経』十巻、義浄訳。金・光・明とは、仏の三身、法身・応身・化身の妙徳を開顕したものと聞きます。大乗諸経の中にあって所説が高遠だから最勝王と名づけます。この金光明王微妙経典を講説するならば、寿命延長、和悦無諍、無病安楽、四大調達の利益をもたらすといいます。この経は『妙法蓮華経』、『仁王般若波羅蜜経』と共に鎮護国家の三経と称せられ、この確固たる重い教えの中に薫陶を受けられた聖人が、予想もされなかった新しい角度から、この経のいのちの開花を期したのです。『金光明最勝王経』金勝陀羅尼品第八の「南謨（その直前の一切諸仏には南無となっている）釈迦牟尼仏・南謨西方阿弥陀仏・南謨観自在菩薩摩訶薩・南謨大勢至菩薩摩訶薩」とある陀羅尼、持呪法の神秘的力用を変質転換していかれるところは実にあざやかです。

かの「文類偈」には、阿弥陀仏の慈悲と智慧とに並んで「寿命延長莫能量」と仏徳がたたえられているのも、この寿命延長はここに由来するのでしょうか。しかも人間の祈りの満足ではなく、阿弥陀至徳の寿命延長が南无阿弥陀仏として与えられていると、変質転換されてくるのです。

2　山家の伝教大師は
国土人民をあわれみて
七難消滅の誦文には
南无阿弥陀仏ととなえしむ

第四行は「顕智本」では「をとなへしむ」、「文明本」では「をとなふべし」となります。誦文には「空に浮かべ読むを誦という」と左訓されます。

七難消滅については、護国の経典、法華経・仁王経・金光明経の三部を読誦するときに用いた、最澄の『七難消滅護国頌』を指すといいます。『顕戒論』巻中には「もし七難起こらば、一切の国王は難を除かんがための故に、この般若波羅蜜多を受持し解説せよ。七難即ち滅して国土安楽ならんと」と、『仁王経』「受持品」の文を引き、ついで七難について述べます。

七難。第一日月の難に五あり、一には失度の難。第二星宿の難。第三衆火の難。第四時節の難、二には冬夏雨雪の難。第五大風数起の難。第六天地亢陽（旱魃）の難、二には草木枯死の難、三には百穀不成の難。第七四方賊来の難、一には侵国内外の難、二には兵戈競起の難、三には百姓喪亡の難。（現代の国際状況の総括）。

この七難を排除する道が説かれるのですが、同じく最澄の「四条式」には「弥天の七難は、大乗経に非ずんば、何を以てか除くことをなさん。未然の大災は、菩薩僧に非ずんば、あに冥滅することを得んや」と、大いなる自信が示されます。さきの『護国頌』には「依正安穏にして念仏を修せよ」とあるところ、この念仏を称南无阿弥陀仏と受けとめて、これこそ国土人民を安穏ならしめる要道であるとしたのです。

比叡の山にあって大乗の菩薩僧を興出しようとされた伝教大師最澄（七六五―八二二）は、国土人民の安穏を願って、七難を消滅せしめるちかいといのりの合唱のうたとして、南无阿弥陀仏と称えなさいといわれたのです。弥天というのは、天界に弥漫していることで、人間がそれによって影響をこうむる、のがれられない天然現象のことです。未然は、いまはまだ燃えてはいないがいつ燃えだすかはかり知れないような恐ろしさを言います。

『西方指南抄』下末の「また伝教大師の七難消滅の法にも、念仏をつとむべしとみえて候。おほよそ十方の諸仏、三界の天衆、妄語したまはぬ行にて候へば、現世・後生の御つとめ、なに事かこれにすぎ候べきや。いまただ一向専修（せんじゅ）の但（たん）念仏者にならせおはしますべく候」とあるところ、筆写されたのは八十四歳なのではあるが、早くから胸中に温めていられたもののようであり、ここにある諸仏とか天人とか現世とかは、「現益讃」制作をうながしているともみえます。

3　一切の功徳にすぐれたる
　南无阿弥陀仏をとなふれば
　三世の重障みなながら
　かならず転じて軽微（きょうみ）なり

直接とは言い難い点もあるが、『安楽集』下巻の「或は三昧有り、但だ能く現在の障を除きて、過去・未来の一切の諸障を除くこと能わず。若し能く常に念仏三昧を修すれば、現在・過去・未来の一切諸障を問うことなく、悉く皆除くなり」をたぐってみます。この典拠は、「龍樹讃」第十首の「念仏三昧行じてぞ　罪障を滅し度脱せし」にもかよいます。軽微には「かろめ、少なくなす、よくなす」の左訓があって、よくなすは理解をたすけます。

第二行の「南无阿弥陀仏をとなふれば」は、心して読まねばならぬところで、真意を誤っては大変です。それだけに苦心の跡もよく見えます。「国宝本末法讃」第四首の左訓には「なもわあみだぶちとなふれば」と見え、顕智書写「浄土和讃」巻尾別和讃には「南无阿弥陀仏をとなふるに」となっているのです。このように移動のあるのはひとえに「もしとなえたならば」という仮定条件では絶対にあってはならないという深慮がはたらいているからによるのです。

「もしとなえたならば」と読んでしまうと、迷妄から来る悪い意味の現世利益に転落します。この読み方一つが明暗を左右するのです。念仏には現世利益を要としないことは、そのもの自体の叫びです。それにも拘わらず「現世利益和讃」が作られたのは、念仏の信心に生きる人には、いま現にこのような感受が開かれている、これこそまことの現世利益と称すべきでないかと、この世が信心の眼で新しくみなおされている風光です。人間のおもいをこめてとなえているのでなく、仏の心に相応してとなえている人に、はからずも与えられた无上大利の功徳なるものです。

「現世利益和讃」といっても、「浄土和讃」の中に編入されているのだから、阿弥陀仏の称讃を離れていないのです。現世、この世といいつつ浄土よりのはるかな慈光を蒙る中に見い出されたものなのです。浄土に対して現世の存在を主張しているのではありません。浄土があるからこの世はないがしろにするというのでなく、浄土の光の中たしかな一歩をふみしめることができるのは、護りの力がはたらいていることをあらためて知るのです。

他のどんな功徳よりも超えすぐれている南无阿弥陀仏を、仏の心にかなって称えている人の身の上には、過去・現在の重い罪障ばかりでなく未来の罪までも、皆ながらその資糧を転化して、軽く少なくし、よいものにかえなさしめられるのであります。

## 4

南无阿弥陀仏をとなふれば
この世の利益きわもなし
流転輪廻のつみきえて（へ）
定業（じょうごう）中夭（よう）のぞこりぬ

仏の心にかなって南无阿弥陀仏がとなえられてみると、わが思いを超えてこの世にありつつ身に蒙る利益のなんと多いことか、これはこれはと驚くばかりです。水の流れがとどまらぬように、車の輪がぐるぐるまわってはてなきように、生まれては死に、死んではまた生まれ、どこまでも迷いの生死をくりかえすその罪が消えて、生まれる前からきまっているいのちも途中の挫折も除去されることになります。

善導にも、念仏を称えないと身の上にこのようなことが起こってくるとのはげしい言葉を見るのであり、ただ今の「定業中夭のぞこりぬ」もその方向に位置するもの、だが目下として心からうなずくことのできない魯鈍を、誰にともなくお許しをこうほかありません。

5　南无阿弥陀仏をとなふれば
　梵王帝釈帰敬す
　諸天善神ことごとく
　よるひるつねにまもるなり

ここから同じ調子の護持の和讃が続くについて、『観念法門』の「現生護念増上縁」の一つとして引用された『般舟三昧経』「護持品」を掲げます。「若し人専らこの念弥陀仏三昧を行ずれば、常に一切の諸天及び四天大王・竜神八部、随逐影護、愛楽相見することを得て、永く諸の悪鬼神、災障厄難もて横に悩乱を加うること無けんと。」又『観経』の文によって「若し人有りて心を至して、常に阿弥陀仏及び二菩薩を念ずれば、観音・勢至常に行人と与に、勝友知識と作りて、随逐影護すと」とあるところも和讃を構成することになります。更に又「諸仏普く皆同じく慶ぶ」にも着目されます。

梵王は色界初禅天の王、欲界の婬欲を離れ寂静清浄です。帝釈は釈提桓因、梵王と共に仏法を護る神、須弥山の頂たる忉利天に住し、釈尊修行の時にしばしば身を変えてその志を試し、成道の後はその守護に任じたといいます。

南无阿弥陀仏の声そのものとなり、そこに生きそこに包まれている人に対しては、梵天王や帝釈天が帰依し敬礼をささげるのです。この守護神の眷族たるすべての天にあふれるほどの善き神神が力を合わせて、夜となく昼となく変わることなく護り続けて下さるのです。

この「よるひるつねに」につきまして、「正像末法和讃」第五十三首「弥陀大悲の誓願を　ふかく信ぜむ人はみな　ねてもさめてもへだてなく　南无阿弥陀仏と（「文明本」にあっては「を」）となふべし」が、両者相呼び合うように感受されるのであります。

## 6

南无阿弥陀仏をとなふれば
四天大王もろともに
よるひるつねにまもりつつ
よろづの悪鬼をちかづけず

四天大王。仏教の世界構造の中心たる須弥山の頂上に帝釈天が住し、その半腹にある四天王の主。各々一天下を護るゆえに護世四天王ともいう（「皇太子聖徳奉讃」第四十首にも見える）。東に持国天、南に増長天、西に広目天、北に多聞天。

東大寺の戒壇院へ入場した時、画家が静かなものごしで坐っていて、四天王の内面のささやきを聞くが如くつぶやくのを聞きました。目を開いて筋骨たくましく怒りに燃えている形相は、邪悪を罰し威力をもって折伏しているのではあるが、内心は仏心に目覚めさせようとして泣いている声が聞こえるというのです。ふんばった脚力でおさえつけられている邪鬼の内側の骨はこなごなに砕けていると、彫刻の仏師の宗教的世界を語りました。これははるかに以前のことですが、今もありありと残って強く迫ります。このように威力を形にあらわすことが、どれほど人間の精神に印象づけるものであるかを今更に思います。造型を見ることによって、夜も昼も護ることの実感が生きます。四天王が自己を没してただ主を護ることに徹しているのも恭敬（くぎょう）すべき構造です。

　南无阿弥陀仏を称え、その声の中に包まれ、阿弥陀が主となり、そこに砕かれたわれは従となり、不自在となったのではなく、むしろ自在にいのち生きる身となったものは、四天大王が夜も昼も変わることなく護り続けて、どのような邪悪な鬼が襲っても、それをよせつけないようにふせぎます。本来悪鬼は存在しないのですが、妄念妄想が悪鬼をつくりだすのです。このすじみちが分かることが、現世においても利益を得ていることができるのです。

7

南无阿弥陀仏をとなふれば
堅牢地祇（けんろうじぎ）は尊敬（そんきょう）す
かげとかたちのごとくにて
よるひるつねにまもるなり

「現益讃」には左訓が少ないのであるが、第二行には「この地に在る神。地より下なる神を堅牢地祇という」とあります。地の底に在って大地を支えて保持する意味を感じます。地については「行文類」に「悲願は猶(なお)し大地の如し、三世十方の一切如来出生するがゆえに」との大地性という感銘深いところが見えますが、それとは関係をもたないようです。

戦時中たびたびの公葬に列して、いかなるものかと耳に残っていることがあります。会葬者の代表の弔辞の終りには「在天の英霊、来たり彷彿(ほうふつ)としてこれを享けよ」と、主催者の町村長は来会の謝辞を述べて「地下の英霊も満足に存じ莞爾として微笑んでいることと存じます」と結ぶのが、常例であったのです。これを聞いていた人たちが、何ほどの不審も抱かないほど神は天であろうと地であろうとおもいのままというのが、日本民族の神観念というものなのでしょうか。

南无阿弥陀仏を称え、それに生き、そこに救いを感じている人を、大地の底にまします神はこれをとうとびうやまい、影が形にそうて離れないように、夜も昼も変わることなくいつも護りたもうのです。地の神の方から念仏のひとを尊敬すというのは、真に地の神を位置づけたものです。念仏して如来の願心の中に生きるひとは、すでに地の神に何かを祈る必要は消えています。尊敬の念をもってかかわる以上は、悉有仏性として、恐るべきもの秘められたもの封じこめねばならぬものとの観念はどこにもありません。護り護られることの最も慎しみ深い姿です。

## 8 南无阿弥陀仏をとなふれば
## 難陀跋難(なんだばつなん)大竜等(とう)

无量の龍神尊敬し
　よるひるつねにまもるなり

一切を捨ててただ南无阿弥陀仏一つになった人は、すべてが新しい光を放って難陀（兄）・跋難陀（弟）をはじめとして八大竜王や更に計り知れない竜王の眷族たる竜神たちがとうとびうやまい、夜も昼も休むことなく守護します。

源実朝の「時により過ぐれば民の歎きなり八大竜王雨やめ給へ」に想いいたるとき、雨を司る神としての八大竜王の重さが知られます。

9　南无阿弥陀仏をとなふれば
　炎魔法王尊敬す
　五道（の）冥官みなともに
　よるひるつねにまもるなり

第五首から第十首までは大体『金光明経』に依られたものであるが、しかも非常におおらかに自在にこの経に流れるものに、南无阿弥陀仏を称える立場から向きあっておられます。「鬼神品」第十三を見れば、「諸天神等、常に法を聴く者を供養すべし」とか、「閻摩羅王、大力勇猛、常に世間を護って、昼夜離れず」とか、「常に勤めてかくの如きの微妙なる経を聴受する者を擁護す」とあって、この「現益讃」の生まれる因由をまざまざと感受することができます。

南无阿弥陀仏を称えている人を見れば、地獄の裁判官に当る炎魔法王までが、とうとび敬います。法王の下にある五道（地獄・餓鬼・畜生・人・天）を裁く獄卒たちまでも皆一緒に夜も昼も守護します。

10　南无阿弥陀仏をとなふれば
他化天の大魔王
釈迦牟尼仏のみまへにて
まもらむとこそちかひしか

他化天は他化自在天といい、欲界六天の第六であって、他の化作した欲境を自在に受用して楽を受けるからこの名があります。この天に大魔王の宮殿があります。この一首の典拠は見分け難いのですが、『金光明最勝王経』付属品第三十一の「その時魔王、合掌恭敬し伽陀を説いて曰く、もしこの経を持するあらば能くもろもろの煩悩を伏し、かくの如きの衆生の類擁護して安楽ならしめん。もしこの経を説くあらば諸魔便りを得ず、仏威神力に由って我当に彼を擁護すべし」を掲げて思考の便とします。

南无阿弥陀仏を生きる人は、他化自在天の大魔王が必ず守護しますと、釈迦牟尼仏のおん前において誓いを立てられたのです。

11

天神地祇はことごとく
善鬼神となづけたり
これらの善神みなともに
念仏のひとをまもるなり

ここからは「文明本」の配列にしたがいます。その方が内容の連なりとして自然だからです。梵天・帝釈天・四天王などの天の神、堅牢地祇・八大竜王などの地の神はみなもろともに、不思議な能力を備えているから鬼神と呼ぶべきですが、仏法を守護しますから善鬼神と名づけます。これらの善神はみな一緒に、南无阿弥陀仏と称える人をお護りになります。

12

願力不思議の信心は
大菩提心なりければ
天地にみてる悪鬼神
みなことごとくおそるなり

この一首によって「現益讃」は光り輝くといえるような存在感の重さを感じます。わたくしの思いを超えて起こされた如来の本願、その願力によって廻向された信心はよくよくみれば最高無上の菩提心、われを仏に成らしめずにはおかぬ仏の心であったのです。天地一ぱいに満ち満ちている悪い鬼神たちもひとり残らず、この大菩提心に向かってばかりは太刀打ちのしようもなく、おそれおののいて逃げてゆきます。

仏法は菩提心がなければはじまらないのであるが、法然上人は凡夫の往生については、菩提心を要としないと、救いの手をさしのべられたのです。それを体得した聖人は廻向の信心こそ菩提心そのものであったと、おのれの信心に驚きと喜びをもたれたのです。菩提心を要としないとの大胆な宣言が、はじめて読み取れたのです。これが信心だと思い定めて甘えているのとは全く異質なものです。信心は大菩提心であるからこそ威力をもっているのです。

大菩提心に自信をもつならば、天地にみてる鬼神の方からおそれて頭を下げてくるものであるのに、僧たる者にして何事ぞ「外道梵士尼乾子に　こころはかわらぬものとして　如来の法衣をつねにきて　一切鬼神をあがむめり」（「愚禿悲歎述懐」第十首）と、さかさまを嘆かれます。

13　南无阿弥陀仏をとなふれば
　　観音勢至はもろともに
　　恒沙塵数（ごうじゃじんじゅ）の菩薩と
　　かげのごとくに身にそへり

『唯信鈔文意』の「観音勢至自来迎といふは、南无阿弥陀仏は智慧の名号なれば、この不可思議光仏の御なを信受して憶念すれば、観音・勢至はかならずかげのかたちにそえるがごとくなり。この无㝵光仏は観音とあらわれ勢至としめす。乃至 弥陀无数の化仏・无数の化観音・化大勢至等の无量无数の聖衆、みずからつねにときをきらわず、ところをへだてず、真実信心をえたるひとにそいたまいて、まもりたもうゆえに、みずからともうすなり」とあるところと対照して、弥陀仏が救済の偶像でなく、客観化してとらえられるものでないことがよく知られます。観音・勢至も固定的ではありません。観音は聖徳太子という慈悲のいのちをあらわし、勢至は智慧の念仏者法然上人像を具現しております。ただ二菩薩の名だけがあるのではないのです。

「南无阿弥陀仏をとなふれば」について、『文意』を通すとき「真実信心をえたるひと」と全く同意と受け止めることができます。「无上宝珠の名号と　真実信心ひとつにて」です。

南无阿弥陀仏を称えて真実信心をえた人は、阿弥陀仏の内なる二菩薩・観音勢至が手を携えて、ガンジス河の沙ほどの数多い菩薩方が、形に影が添うように阿弥陀仏の影となって信心の身から離れずより添うて下さいます。

高田山専修寺の下野の本寺如来堂には一光三尊仏を奉安しますが、この弥陀観音勢至が三尊なるものです。もと善光寺の本尊たる一光三尊仏が、聖人の参詣されたその態度に感応して、一体分身して身を分かち与えたもうたもの、それを笈(おい)に納めて背負うて高田へ帰ったといいます。初めには一体分身になじめなかったのですが、だんだんとその意味も感得されてきます。三尊といってもそのまま一尊であり、一尊の偶像性を離れしめ、その活動のゆたかさを示すものなのです。

## 14　无导光仏のひかりには

无数の阿弥陀ましまして
化仏おのおのことごとく
真実信心をまもるなり

第三・四行は「化仏おのおの无数の　光明无量无辺なり」となっています。无明の闇を破り悪業煩悩に障えられることのない智慧光の一つ一つの光の中には、数えきれない阿弥陀仏の化仏がおいでになって、このような阿弥陀から生まれた阿弥陀が皆一緒になって、真実信心の行者を守護したもうのです。「恒沙の信心すすめたる」のゆたかさはここにも見られます。

15

南无阿弥陀仏をとなふれば
十方无量の諸仏は
百重千重囲繞して
よろこびまもりたまふなり

弥陀の願意にかなって念仏し真実信心を得ている人は、あらゆる仏国のはかり知れない諸仏が百重にも千重にもかこみとりまいて、行者と慶びをともにして守護して下さるのです。

『観念法門』に「直弥陀の願に称うのみにあらず、亦乃ち諸仏普く皆同じく慶ぶ」とあるところや、『往生礼讃』の「観経にいうが如し。若し阿弥陀仏を称礼し彼の国に往生せんと願えば、彼の仏即ち无数の化仏・无数の化観音・勢至菩薩を遣わして行者を護念したもう。復前の二十五菩薩等とともに百重千重行者を囲繞して、行住坐臥一切時処若しは昼若しは夜を問わず常に行者を離れたまわず」のところなどが、和讃構成に大きなかかわりを与えているようです。

この「現世利益」を終ったところで、「以上弥陀一百八首　釈親鸞作」とあって、次の「首楞厳経によりて大勢至菩薩和讃したてまつる」は加算されていないのです。これは「浄土和讃」でありつつそのまま「弥陀和讃」であるから、勢至和讃は別置されたものでありましょうか。しかし「高僧和讃」を終り、まとめて「弥陀和讃高僧和讃都合二百二十五首」と、ここにも勢至和讃は除外されているのは推求を要する所です。勢至和讃は『尊号真像銘文（広本）』の「大勢至菩薩御銘文」とほとんど同調であることと、和讃の終りに「源空聖人之御本地也」と意趣の示されてあることと、合わせ考えてゆきたいものです。この本地は『教行証文類』にも無いのであるが、『西方指南抄』下末の「念仏はこれ弥陀の本願の行なるがゆえに、成仏の光明つよく本地の誓願をてらしたまふなり」の本地とかよいあうものがあるのか知りたいと思います。

# 首楞厳経によりて大勢至菩薩和讃したてまつる

1 勢志念仏円通えて
五十二菩薩もろともに
すなわち座よりたたしめて
仏足を頂礼せしめつつ

大勢至法王子（仏を法王としその位を継ぐ位を嗣子という）は念仏三昧によってまどかに明かるいさとりをえて、その友人の五十二の菩薩方と一緒にその座から立ち上って、釈尊のみ足を自分の頭頂に頂いて礼拝されまして、というところです。全くめずらしく一首で切れないで次首への連なりが示されます。

釈尊が『首楞厳経』を説かれるその会座に、大勢至法王子が登場するのです。ここに出る念仏三昧と、この項の直前に説かれる円通すなわち唯識の円成実性との組み合わせについては更に推求を要します。この念仏三昧が「龍樹讃」の念仏三昧に関連をもつことになるのでしょうか。

2 教主世尊にまふさしむ

往昔恒河沙劫に
　仏世にいでたまへりき
　　无量光となづけたり
勢至菩薩は教主であられる釈迦如来に申し上げられました。はるかに昔、一劫でさえガンジス河の砂一つにあたるほどの遠い以前に、仏がこの世にお出ましになりました。その名を无量光と名づけます。これは阿弥陀如来のことで、无量光という名とはたらきを示されたというのです。すでに「讃阿弥陀仏偈和讃」に「智慧の光明はかりなし」と詠われています。これを菩薩が仏に申し上げる形が興趣をそそります。

3　十二の如来あひつぎて
　十二劫をへたまへり
　　最後の如来をなづけてぞ
　　　超日月光とまふしける

无量光をはじめとして一劫ごとに一仏が現われ、十二劫を終る間にあい継いで十二光仏の出世を見ました。最後にいでました如来を名づけて超日月光と申します。

十二光仏の名は无量光・无辺光・无碍光・无対光・炎王光・清浄光・歓喜光・智慧光・不断光・難思光・无称光・超日月光です。『大経』に説かれ、「正信偈」をこの名がかざり、「讃阿弥陀仏偈和讃」にもこの光の仏名がにぎやかに荘厳します。

4　超日月光このみには
　念仏三昧おしえしむ
　十方の如来衆生を（へ）
　一子のごとくに憐念す

超日月光仏はこの身（勢至菩薩自身）のために、念仏三昧を教えられました。念仏三昧とは逢うても逢わず見ても見ず、形と影とがあいそむかないように憶念が深いのです。十方諸仏の徳をすべてそなえた阿弥陀如来は、多くの衆生を一人ひとり丁度ひとり子のようにあわれみ思し召したもうのです。

「行文類」に『往生要集』を引用して「二に念ず応し、慈眼をもて衆生を視わすこと平等にして一子の如し、故に我極大慈悲母を帰命し礼したてまつる」と述べてありますが、この和讃のとき同時に憶念があったと思います。

5　子の母をおもふごとくにて
　衆生仏を憶すれば
　現前当来とおからず（を）

如来を拝見うたがはず

子が母をおもえば母もまた子をおもう、そのように衆生が仏をおもうのは仏が衆生をおもうそのおもいがかようているのであって、いま眼の前においても、まさに来らんとする将来においても遠からずして、阿弥陀如来を浄土においておがみたてまつることのできるのは、うたがいをいれることはありません。

如来を見るのはゆるがせにできないところで、「東方偈」には「見敬得大慶」とあり、「正信偈」には「獲信見敬大慶喜」と信と見とが結び合わされ、「信文類」の阿闍世獲信のところには「我今仏を見たてまつる、是の見仏所得の功徳をもって、衆生の煩悩悪心を破壊す」と力強く語られます。

6

染香人のそのみには
香気あるがごとくなり
これをすなわちなづけては
香光荘厳（こうこうしょうごん）とまふすなり

第一行には「香ばしき香、身に染めるが如し」第四行には「念仏は智慧なり」の左訓を見ます。『銘文』には「染香人の身に香気有るが如しというは、かうばしき気身にある人のごとく、念仏のこころもてる人に勢至のこころをかうばしき人にたとえもうす也。このゆえに此れは則ち名づけて香光荘厳ともうすなり。勢至菩薩の御こころのうちに念仏のこころをもてるを染香人にたとえもうす也」とあるところで、勢至菩薩に念仏があるから染香人であり、そのまま念仏の法然上人にあたります。そこでさかのぼって『西方指南抄』中末を掲げて、今のところと照らし合わせます。「たとへばたきもののにほひの薫(くん)ぜる衣(ころも)を身にきつれば、みなもとはたきもののにほひにてこそありというとも、衣のにほひ身に薫ずるがゆへに、その人のかうばしかりつるどいうがごとく、本願薫力のたきものの匂(におい)は名号の衣に薫じ、またこの名号の衣を一度南无阿弥陀仏とひききてんものは、名号の衣の匂、身に薫ずるがゆへに、決定往生すべき人なり。大願業力の匂というは、往生の匂なり」とこのように筆写しつつ、現に今恩師の念仏の声の香りを身に一ぱい感受し、本願薫力のたきものの中に決定往生をたしかめられたことでありましょう。

香ばしいにおいによく染まった身には馥郁(ふくいく)とした香ばしさがただようように、南无阿弥陀仏ととなえる人には、香ばしい智慧の光のおごそかさを感じるので、香光荘厳と名づけたてまつるのです。

7　われもと因地(いんじ)にありしとき
念仏の心をもちてこそ
无生忍(むしょうにん)にはいりしかば
いまこの娑婆界(しゃばかい)にして

第三行には「不退の位と申すなり。必ず仏に成るべき身となるなり」との左訓を見ます。无生无滅の法の認得、もはや生滅のおそれのない法のさとりの意味ですが、直ちに正定不退という愛受用語がひらめいたようです。信心は現生正定必至滅度の無限の歩みです。

われというのは勢至菩薩です。わたしがもと因の地位にて修行中の身であったとき、念仏のこころをさとることができて、必ず仏に成ることのできる正定の位につきましたので、今この娑婆世界におきましても。

「いまこの娑婆界にして」の一行は次の第八首に連なるものですから、ここに置くのは不本意だったのでないかと思いはかります。

娑婆は濁りに染まる耐え難い所ですから、聖者がともに手を取っていただかないと生きられない苦の土という意味です。

*8*　念仏のひとを摂して（摂取して）こそ
浄土に帰せしむるなり
大勢至菩薩の
大恩ふかく報ずべし

「顕智本」にては「摂取してこそ」、文明本にては「摂取して」となります。

前の一首に続いて勢至菩薩は「念仏する人をよく摂め護って、弥陀の浄土へ帰入できるようにしてあげたい」と言われました。このような大勢至菩薩の大恩を深く感じ、お報いしたいと誓います。「べし」は至上命令を自己の誓いをもって受けとめているのです。

この和讃を終って「以上大勢至菩薩、源空聖人之御本地也」と記されます。本地とは、仏菩薩が衆生を救うため仮に人の姿を現わすその根本力を言います。勢至菩薩の智慧の念仏が源空聖人という念仏者となって現われたというのです。

更に『首楞厳経』が引用されます。「我本因地にして、念仏の心をもって、无生忍に入れり。今此の界にして、念仏の人を摂して、浄土に帰せしむるなり」と。これが第七、八首の典拠となるのですが、どうしてこれだけの経文をここに掲げられたものか察知はかないません。源空聖人に対する謝念の動いていることは一つたしかだと考えます。しかもこの特別の書き添えが、国宝本の中でもまぎれもなくきわだって真筆として尊仰されていることでもありますので、よくよく留意してその問題性を究めねばなりません。現益讃とこの勢至和讃は国宝本では五行書きになっていまして、「浄土和讃」「高僧和讃」が出来てから後に、今讃は作られたとも聞いております。

## 著者略歴

川瀬和敬（かわせ　わけい）

明治44年に生まれる。

真宗高田派鑑学。高田短期大学名誉教授。

平成18年７月示寂。

著書に『親鸞聖人への道』『火中生蓮』『感応道交』『浄土和讃講話』『浄土高僧和讃講話』『正像末法和讃講話』『皇太子聖徳奉讃講話』など。

新装版　浄土和讃講話

一九九四年二月二〇日　初　版第一刷発行
二〇二〇年六月一五日　新装版第一刷発行

著　者　川瀬和敬
発行者　西村明高
発行所　株式会社　法藏館
京都市下京区正面通烏丸東入
郵便番号　六〇〇－八一五三
電話　〇七五－三四三－〇〇三〇（編集）
〇七五－三四三－五六五六（営業）

装幀　山崎　登
印刷・製本　亜細亜印刷株式会社

I. Mori 2020 Printed in Japan
ISBN 978-4-8318-6572-4 C0015
乱丁・落丁本の場合はお取り替え致します

—新装版シリーズ—

内村鑑三と清沢満之　加藤智見著　一、九〇〇円

教行信証　星野元豊著　一、八〇〇円

晩年の親鸞　細川　巌著　一、五〇〇円

唯信鈔文意を読む　信は人に就く　細川　巌著　二、三〇〇円

正信偈入門　早島鏡正著　一、三〇〇円

歎異抄講話　①〜④　廣瀬　杲著　各一、八〇〇円

観経のこころ　歎異抄の背景にある　正親含英著　一、五〇〇円

近代日本の親鸞　福島和人著　二、二〇〇円

価格は税別

法藏館